MARC FERNANDEZ

Mala Vida

LE LIVRE DE POCHE

Couverture : Studio LGF / © Shutterstock.

ISBN : 978-2-253-08585-0 – 1re publication LGF

MALA VIDA

Marc Fernandez est né en 1973. Journaliste, il a notamment été chargé de suivre l'Amérique latine et l'Espagne pour *Courrier international*. Il a également cofondé la revue *Alibi*, consacrée au polar et dont il a été rédacteur en chef. Aujourd'hui directeur de la collection « Sang neuf » chez Plon, il continue d'écrire pour divers médias. Il a publié son premier roman, *Mala Vida*, aux éditions Préludes en 2015.

Paru au Livre de Poche :

NARCO FOOTBALL CLUB
(avec Jean-Christophe Rampal)

Pour Léa et Diego, évidemment…

« Je sais que si on ne s'occupe pas de son passé, un jour c'est lui qui s'occupe de vous. »

Joyce Carol OATES

« L'avenir nous tourmente, le passé nous retient, c'est pour cela que le présent nous échappe. »

Gustave FLAUBERT

Prologue

Franco est mort, pas les franquistes. Les électeurs ont la mémoire courte et quarante-cinq ans de dictature n'ont pas suffi. Le peuple a choisi de donner le bâton pour se faire battre de nouveau. Même les anciens, ceux qui ont connu les années de privation, de faim, de soumission, ont voté massivement pour l'Alliance pour la majorité populaire, l'AMP. La mine défaite, le ministre de l'Intérieur socialiste confirme ce que tous les sondages prédisaient. Une victoire sans concession des amis de Franco. Diego n'est pas dupe. Sur le devant de la scène installée face au siège du parti de droite, les adhérents de l'AMP font la fête. Ils sont jeunes et propres sur eux, aucun n'est en âge d'avoir côtoyé de près ou de loin les gouvernements franquistes. Dans l'ombre pourtant, les vieux caciques de l'époque sont encore là. Ils tirent les ficelles en coulisses, font habilement croire à ceux qui sont sous les feux des projecteurs que ce sont eux qui décident.

Diego est allé voter sans se faire trop d'illusions en toute fin d'après-midi, presque à l'heure de la fermeture des bureaux de vote. Un devoir, même si, comme une majorité de ses compatriotes, il ne fait plus aucune confiance aux politiques. Jamais il n'a dérogé à sa règle : toujours voter, et pourtant, cette fois, il est passé tout près d'y renoncer. Des hommes et des femmes se sont battus pour qu'il puisse mettre un bulletin dans l'urne. Puis il est rentré dans son appartement de Malasaña, le Montmartre de Madrid. Téléphone éteint. Pas d'humeur à analyser la victoire certaine des fachos avec ses confrères qui ne manqueront pas de l'appeler pour lui soutirer une pseudo-analyse post-électorale. Il a téléchargé les derniers épisodes de *True Detective*, la série de Nic Pizzolatto. L'ordinateur sur les genoux, la bouteille de vodka et le Schweppes lemon à portée de main, il a rapidement sombré dans un sommeil agité. Réveil en sursaut. Puis la curiosité a repris le dessus.

Il allume la télé pour suivre en direct la catastrophe annoncée. Sur toutes les chaînes, la même scène se déroule sous ses yeux. Des présentateurs à la mine grave, qui savent qu'ils vivent leurs dernières heures d'antenne avant le grand ménage médiatique. Des responsables de l'AMP tout sourire qui font les beaux sur les plateaux et, déjà, se comportent avec arrogance face aux perdants.

La nuit vient de tomber. Une nuit qui va durer quatre ans, le temps de cette législature, se dit Diego. La connexion avec la place de Cibeles, là où le Real Madrid vient fêter ses titres (même si l'équipe n'a pas eu l'occasion de venir par ici depuis longtemps tant la domination du FC Barcelone l'a reléguée à une seconde place qui semble éternelle), le sort de sa torpeur. Sur l'écran plat, la foule habituelle des vainqueurs attend l'arrivée du leader de l'AMP. L'hymne espagnol beuglé par des dizaines, des centaines de personnes qui agitent des drapeaux rouge et jaune. Un détail le frappe. Sur bon nombre de ces bannières s'étalent les armoiries franquistes. Interdites depuis la mort du Caudillo, voilà qu'elles refont leur apparition alors que les résultats officiels des élections n'ont pas encore été prononcés. Un retour en enfer annoncé.

Au fond de la place, loin des axes des caméras, des groupes de crânes rasés brandissent les écharpes du Real Madrid, paradent en faisant le salut franquiste. Les Ultra Sur, les hooligans du Real, sont comme à la maison. Non loin d'eux, des soutanes noires regardent la scène, le sourire au coin des lèvres. L'Église, bien sûr, a appelé à voter AMP. Un cocktail explosif se prépare : nostalgiques de Franco, ultras fascistes, *Opus Dei*… L'Espagne moderne, active, celle du mariage gay et de la tolérance disparaît en direct à la télévision.

Tout ça vaut bien une bonne rasade de vodka lemon. Sans bouger de son canapé, Diego se sert un verre. En reposant la bouteille, son regard accroche un cadre photo posé sur la console. D'un geste lent, il le prend, le regarde longuement, le serre contre lui et le repose délicatement. Il avale cul sec son cocktail. Une larme coule le long de sa joue.

* * *

Des volutes de fumée s'échappent de la vitre entrouverte d'une voiture garée à quelques rues de la place de Cibeles. Une main tremblotante jette un mégot de cigarette sur le trottoir. Des heures qu'elle est plantée derrière le volant, le temps de vider un paquet de Fortuna et d'écouter pour la énième fois *Clandestino*, la chanson de Manu Chao.

> *Solo voy con mi pena* [...]
> *Correr es mi destino.*
> *Yo soy el quiebra ley.*
> (Seul avec ma peine [...]
> Courir est mon destin.
> Je suis un hors-la-loi.)

Comme un message subliminal, histoire de se donner le courage d'agir.

Attendre le bon moment. Bien respirer. Se remémorer les gestes à effectuer. Ce n'est pas tous les jours qu'on tue un homme. Sur le siège passager, cachée sous l'édition du jour d'*El País*, une arme attend que sa propriétaire lui ordonne d'agir. Un P38 flambant neuf qu'elle a acheté la veille dans une armurerie du centre-ville, sans prendre la peine de se cacher. À quoi bon ? Encore un peu de patience et elle pourra enfin passer à l'acte. Cette fichue soirée électorale va bien se terminer. Ils vont bien finir par rentrer chez eux, tous ces fachos. Sa cible aussi. Cela fait des semaines qu'elle la traque. Elle sait tout de la vie de ce jeune conseiller municipal AMP. À trente-six ans, il est l'un des espoirs de la droite, assuré d'un fauteuil ministériel confortable après le vote d'aujourd'hui. Elle sait qu'il n'aura pas le temps d'en profiter. Une balle dans la tête, une seule. Voilà ce qui l'attend. Bien loin du ministère de l'Économie.

Encore une cigarette. Pour se rassurer, elle caresse la crosse de son arme. Elle ferme les yeux, tire une longue bouffée, passe une main dans ses longs cheveux noirs, réajuste le col de son blouson. Au loin, les applaudissements des militants AMP, qui saluent la fin du discours du futur Premier ministre, la sortent de sa torpeur. Elle sent que le moment approche. Elle rouvre les yeux et regarde son rétroviseur. La rue est toujours vide mais plus pour très longtemps. Bientôt, les vainqueurs du soir l'emprunteront pour rentrer chez eux. Il va falloir agir vite. Elle met le moteur en route. Un air frais s'engouffre immédiatement dans l'habitacle, la faisant frissonner.

Des groupes de gens envahissent enfin la rue. Des familles interchangeables, raie sur le côté, chemise Vichy et pull sur les épaules pour le père, tailleur strict et collier de perles pour la mère. Trois, quatre, parfois cinq gamins qui suivent. Des hommes en costume-cravate qui tapent dans les mains de jeunes en bombers et aux cheveux très courts. Ils se séparent à l'entrée de la bouche du métro en poussant des cris de victoire. Les uns rentrent en transports en commun, les autres vont récupérer leurs voitures garées loin de l'endroit de la célébration et s'impatienter dans les bouchons. L'argent n'a pas d'odeur, dit-on, le vote extrême ne connaît pas l'épaisseur du portefeuille non plus.

Après quelques minutes, le calme revient. Elle a eu le temps d'allumer trois ou quatre cigarettes qu'elle n'a fumées qu'à moitié, nerveuse.

Il lui faut patienter encore une bonne demi-heure avant que sa cible apparaisse enfin. Paco Gómez est seul. Il marche lentement, la cravate dans une main, le portable dans l'autre. Il répond aux nombreux SMS reçus dans la soirée. Des messages de félicitations. La composition du gouvernement doit être annoncée le lendemain et, déjà, les chacals tentent de se placer.

Quand il arrive au niveau de la voiture, il est toujours rivé à son écran de téléphone. Elle le laisse avancer, puis, d'un geste lent, passe sa main par la vitre qu'elle a pris soin de n'ouvrir qu'à démi et elle vise la nuque.

1

« Il est minuit, merci d'écouter Radio Uno. Après le flash info, et comme tous les vendredis, vous retrouverez Diego Martín pour un nouveau numéro de son émission, "Ondes confidentielles". »

Jingle pub. Antenne dans cinq minutes. Comme à son habitude, Diego entre dans le studio au tout dernier moment, les bras chargés de dossiers. Et la clope au bec, malgré les panneaux d'interdiction de fumer. Petit plaisir hebdomadaire d'aller à l'encontre de la loi, bras d'honneur à cette société aseptisée qui, depuis l'arrivée de l'AMP au pouvoir il y a six mois, a plongé le pays dans une torpeur effrayante. De toute façon, il ne prend pas trop de risques. C'est le week-end après tout. Il sait bien qu'il ne va pas croiser grand monde entre son minuscule bureau du sixième étage et le premier sous-sol où l'attend le technicien de permanence dans l'un des petits studios de la radio. Pas de place pour lui dans le grand studio qui accueille les matinales et les présentateurs vedettes au rez-de-chaussée. De toute manière, il aurait refusé de présenter son émission dans une pièce qui porte le nom de Escrivá de Balaguer, fondateur de l'*Opus Dei*. L'une des premières décisions de la nouvelle direction de la radio publique installée par l'AMP après sa victoire aux élections. Débaptiser le mythique studio Ortega y Gasset de Radio Uno. Tout un symbole. L'illustration de la stupidité des gouvernants et de l'influence de l'Église dans les coulisses du pouvoir.

La purge médiatique a touché tout l'audiovisuel public. Dehors, les directeurs de rédaction considérés comme trop proches des socialistes. *Exit*, les présentateurs trop critiques envers l'AMP. *Adiós*, les journalistes jugés dangereux par le pouvoir. Tous priés d'aller voir ailleurs si l'herbe était plus rouge, de pointer à Pôle emploi ou de créer des blogs que personne ne lit. Tous sauf un, Diego. Conscient d'être la caution d'un gouvernement flirtant allègrement avec les idées franquistes, réactionnaires et rétrogrades. « Vous voyez bien que nous n'avons pas placé nos hommes dans les médias : Diego Martín a toujours son émission sur Radio Uno. Et le moins que l'on puisse dire, c'est qu'il n'est pas proche de l'AMP », a osé soutenir le porte-parole du gouvernement lors d'une conférence de presse. Ben, voyons !

La lumière rouge au-dessus de la porte du studio n'est pas encore allumée. Dans une petite cabine à côté, le présentateur du flash info égrène sans conviction les derniers titres. Les sports et la météo. Diego s'est installé, le casque vissé sur une oreille, ses dossiers ouverts et placés devant lui. Un gobelet avec un fond de café froid posé non loin en guise de cendrier risque de se renverser sur ses papiers à tout moment. Derrière la vitre, en régie, le réalisateur s'énerve.

— Putain, Diego, tu fais chier avec ta clope, ça bousille le matos !

— C'est ça ou un gros blanc à l'antenne, *amigo*, c'est toi qui vois. Ça fait vingt ans que je fais comme ça, c'est pas maintenant que ça va changer. C'est dingue quand même, vous les anciens fumeurs, vous êtes vraiment les pires intolérants qui soient avec la cigarette. T'avais qu'à pas arrêter !

Pas le temps de continuer la dispute, la douce voix de Nancy Sinatra et les premières notes de *Bang Bang (My Baby shot me down)*, la bande originale du film *Kill Bill* utilisée comme générique d'« Ondes confidentielles », se font entendre.

« Amis du noir, bonsoir, lance Diego comme à son habitude pour donner le coup d'envoi de ses deux heures d'antenne hebdomadaires. *Au programme de votre émission, un reportage exclusif avec le LAPD. J'ai passé une semaine avec la*

fameuse police de Los Angeles, entre patrouilles nocturnes et moments privilégiés avec les détectives de la Criminelle de la Cité des Anges. J'en ai aussi profité pour interviewer l'un des plus grands auteurs de polars d'aujourd'hui, un personnage controversé pour ses idées et à l'indéniable talent littéraire, James Ellroy en personne. Mais avant d'écouter tout cela, démarrons, et je sais que vous l'attendez avec impatience, par la chronique judiciaire de notre désormais célèbre magistrat anonyme. Chers auditeurs, pour vous ce soir, le bien nommé procureur X ! »

Ce début d'émission – une idée lancée par Diego juste après la mise en place du nouveau gouvernement – a connu un vif succès dès sa première diffusion. Ces trois minutes sont aussi, au grand désespoir des dirigeants de Radio Uno, les plus téléchargées de la station. Dans tout le pays, mais aussi à l'étranger, les auditeurs et les internautes ne se lassent pas d'écouter, en direct comme en différé, les saillies cinglantes de ce chroniqueur dont la voix est maquillée pour qu'on ne le reconnaisse pas.

Très bien informé, il montre chaque semaine les incohérences du pouvoir en matière de justice. Il parle également d'affaires en cours, de dossiers mettant en cause des membres ou des proches de l'AMP enterrés par des collègues peu scrupuleux, à la botte de la Chancellerie.

Bien des scandales ont été révélés grâce à cette chronique. Au point que les autorités ont lancé une véritable chasse à l'homme pour découvrir qui se cache derrière le procureur X. Sans réussir à l'identifier. Jusqu'à présent. Il faut dire que le journaliste et sa source prennent beaucoup de précautions pour ne pas se faire prendre. Ils ne communiquent jamais par téléphone ni par mail. Comme un pied de nez aux criminels dont ils parlent ou qu'ils traquent tous les jours, ils ont organisé, à la manière des mafieux siciliens, un système de *pizzini* (ces petits bouts de papier sur lesquels les parrains donnent leurs instructions). Le magistrat y rédige sa chronique d'un ou deux paragraphes et un coursier, la seule personne en qui Diego a confiance, se charge de faire le lien. Et ce que tout le monde ignore, à part ce trio original, c'est que c'est le coursier lui-même qui enregistre le texte du procureur X la veille de sa diffusion chez Diego.

Ce soir, le magistrat sort un dossier explosif. Encore un. Le président de la région de Valence, la troisième ville du pays, aurait obtenu les largesses de plusieurs entreprises locales du bâtiment en échange de marchés publics. Un grand classique. Outre la construction de sa maison à un prix défiant toute concurrence, il aurait reçu un certain nombre de cadeaux, tels que des costumes de grands couturiers, des voyages et même un yacht.

Un yacht ! Bref, durant des années, cet élu n'aurait pas déboursé un euro pour se loger, s'habiller, se nourrir ni même partir en vacances.

Diego ne cesse de sourire durant la diffusion de la chronique tandis que le réalisateur, qui la découvre en direct, se demande combien de temps encore il sera aux manettes de cette émission. En six mois, deux de ses collègues ont déjà pris la porte.

« *Ces casseroles, ou plutôt cette batterie de casseroles, le pousseront-elles à démissionner ? Rien n'est moins sûr, tant l'impunité règne dans ce pays depuis quelques mois* », conclut le procureur X.

Le programme suit son cours habituel durant deux heures, avec un conducteur classique mais efficace. Alternant les reportages, la grande interview et les pauses musicales. Pour finir avec les mots des auditeurs, en direct et sans filtre. Des appels en majorité positifs, d'autres insultant Diego, le traitant la plupart du temps de « journaliste rouge » et, quelquefois, de soi-disant informateurs, plutôt des délateurs, relatent les méfaits de leurs voisins ou de leurs proches. Diego se fait un devoir de les faire tous passer à l'antenne, un exercice qui se révèle parfois compliqué, mais il a un don pour couper la chique à ceux qui vont trop loin ou pour calmer les complotistes en tous genres.

« *Il est deux heures du matin, le moment de vous dire au revoir. Merci à tous d'avoir suivi cette émission. On se retrouve, si tout va bien, la semaine prochaine, même fréquence, même heure. Avec une enquête qui, j'en suis sûr, vous intéressera et risque de faire un peu de bruit. Car nous reviendrons sur l'assassinat, il y a six mois, de Paco Gómez, ce jeune élu de l'AMP. Rappelez-vous, il a été retrouvé avec une balle dans la nuque le soir des élections, en mars dernier. Jusqu'à aujourd'hui, ce crime demeure inexpliqué et son assassin court toujours.* »

* * *

Allongée sur son lit, elle tend le bras pour éteindre sa radio quand les derniers mots de Diego Martín la tirent de sa torpeur. Elle ne loupe jamais une de ses émissions, son programme favori, qu'elle écoute généralement en direct, seule dans le noir.

Ce que vient de dire le journaliste la fait sursauter. Elle cherche l'interrupteur de sa lampe de chevet. Ses mains tremblent quand elle attrape une cigarette qu'elle a du mal à allumer. Malgré l'heure tardive, elle se saisit de son téléphone. À peine deux sonneries et une voix surprise à l'autre bout de la ligne.

— *¿Sí ?*

Même après plus de quarante ans passés hors d'Espagne, son interlocutrice continue de répondre comme si elle vivait de ce côté-ci des Pyrénées. Jamais elle n'a dit « Allô ». Jamais. Plus qu'une coquetterie, une marque de fabrique, preuve d'un caractère bien trempé.

— Je te réveille ?

— Mais non, tu sais bien que je dors très peu. Qu'est-ce qu'il y a ? Il est arrivé quelque chose ?

— Non, pas encore, mais il se pourrait bien…

Au bout de quelques minutes, après lui avoir expliqué ce qu'elle a entendu à la fin de l'émission de Diego Martín, le silence s'installe à l'autre bout de la ligne.

— Allô ? Tu es encore là ? Tu m'entends ? Bon, qu'est-ce que je fais maintenant ?

— Finalise tes recherches et poursuis tes démarches ces prochains jours, repose-toi aussi et on verra bien ce que ce journaliste va sortir. À mon avis, pas grand-chose.

— OK, OK, mais j'ai un doute. C'est un excellent enquêteur, tu sais.

— Ne t'inquiète pas, ma chérie, c'est normal d'être stressée. Je suis sûre que tu vas très bien t'en sortir, tout va bien se passer.

Rassurée par cette voix douce, et après avoir réussi à avaler une tisane, elle finit par s'endormir. Dès le lendemain, un long travail l'attend. Sa mission ne fait que démarrer, elle ne peut pas paniquer au moindre accroc. Même si se servir d'une arme est moins évident que ce qu'elle imaginait. Mais elle doit le faire. Une promesse est une promesse. Elle doit tenir le coup. Pour elle. Pour sa famille. Et pour tous les autres. Dehors, dans la chaleur moite de Madrid comme dans d'autres grandes villes du pays, certaines personnes ne se doutent pas qu'elles sont dans sa ligne de mire.

2

Une horde de touristes japonais, appareil photo dans une main, nombreux sacs dus aux séances shopping dans l'autre, arrive en piaillant de la place Dos de Mayo et s'engouffre dans le bar où Diego Martín attend le juge David Ponce pour leur déjeuner mensuel. Un rituel qu'ils ont démarré il y a plusieurs années de cela, quand le journaliste et l'homme de loi travaillaient sur une affaire de narcotrafiquants qui s'est terminée tragiquement et les a fait se rapprocher et devenir amis.

Depuis, les deux hommes se rejoignent une fois par mois dans le même bar du quartier de Malasaña, non loin du domicile de Diego, là où la *Movida*[1] a commencé. Tout un symbole, qui tente de résister et de ne pas perdre son âme malgré les visiteurs étrangers de plus en plus nombreux. Alors que ce district

1. Mouvement culturel né à Madrid après la mort de Franco.

de Madrid était laissé quasiment à l'abandon, il a retrouvé une seconde jeunesse grâce aux artistes et aux bobos madrilènes qui en ont pris possession. Les guides touristiques ont suivi et, aujourd'hui, les loyers explosent, les rues piétonnes sont envahies de boutiques et de voyageurs du monde entier. Comme un petit village d'irréductibles Ibères qui ne connaît pas la crise économique que traverse le pays.

Diego, attablé devant sa bière, regarde sa montre. Une fois de plus, le juge est à la bourre. Il martyrise son paquet de cigarettes et fixe l'entrée du bar pour tenter de l'apercevoir. Une vieille habitude, prise alors qu'il travaillait en Amérique latine sur des sujets plutôt sensibles. Ne jamais s'asseoir dos à la porte d'un bar, toujours en face pour vérifier qui entre. Un conseil des anciens opposants chiliens à Pinochet que le journaliste suit à la lettre. Et qui l'a sorti de plusieurs situations embarrassantes au Mexique et en Colombie.

Avec son quart d'heure habituel de retard, Ponce arrive enfin. Son mètre quatre-vingts tente de se frayer un chemin jusqu'à la table du fond. Les Japonais lui bloquent le passage et Diego sent que son ami va vite s'agacer. Sa grosse sacoche en bandoulière, ses cheveux et sa barbe poivre et sel et sa voix de baryton vont faire leur petit effet dans la seconde qui suit.

— Hey, les Japonais, bougez-vous un peu de là, vous empêchez tout le monde d'avancer ! Allez, allez, *aligatou*, oui, c'est ça. Merci, on se pousse et on arrête de tout photographier.

Diego ne peut s'empêcher de rire. Il se marre encore quand le juge se jette sur la banquette.

— Tu peux pas t'en empêcher, hein ? lui assène-t-il en guise de bonjour.

— De quoi ?

— De faire le spectacle.

— Non, mais attends, si je dis rien, je reste planté à l'entrée pendant une heure. Et j'ai faim. On mange et on travaille après ?

— Allez.

Des tapas à profusion, bien sûr, et deux autres bières. De la seiche à la plancha, des petits chorizos au cidre, des pommes de terre à la sauce piquante, du jambon et du fromage. Leur menu habituel, qu'ils dégustent sans échanger un mot. Les deux se sont trouvé un point commun, outre leur aptitude pour la chasse aux criminels : la nourriture. Ils aiment manger, et bien, c'est-à-dire pas léger, et beaucoup. Ce moment de partage gastronomique est sacré et mérite le silence. Et du temps. Celui qu'il faut pour que le bar se vide presque entièrement.

Rassasiés, ils commandent leurs cafés et sortent leurs dossiers respectifs sur l'affaire qui les intéresse, celle du jeune élu assassiné le soir des élections. Un regard au patron derrière le comptoir qui leur fait un signe de tête et ils allument ensemble leur cigarette. Il ne reste que les habitués qui ne protesteront pas, eux-mêmes profitant largement des largesses avec la loi antitabac que prend le taulier.

— Par quoi on commence ? demande David Ponce.

— Par les faits. Je ne comprends toujours pas comment c'est possible qu'à cet endroit-là, à ce moment-là, personne n'ait rien vu, dit Diego. Les flics n'ont vraiment rien ? Pas un témoin ? Pas un indice ? Pas une piste ?

— *Nada*, rien du tout. L'enquête est au point mort. Tiens, je t'ai photocopié le dossier d'instruction que mon incompétent collègue a laissé traîner sur son bureau. Comme tu vois, il n'est pas épais. À part les témoignages des proches, c'est vide.

— Les proches, justement. Est-ce qu'il ne faudrait pas plutôt chercher de ce côté-là ?

Paco Gómez, la victime, était un fils de bonne famille comme on dit. Son assassinat, à cette date précise et dans une rue si proche du lieu de célébration de la victoire de l'AMP, sans compter qu'il allait sûrement devenir le plus jeune ministre espagnol jamais nommé depuis la fin de la dictature, a fait la une des médias des jours durant. Puis, l'enquête piétinant, le nouveau gouvernement en fonction a commencé à prendre les premières décisions controversées et son cas a été relégué aux pages faits divers, les grands articles se sont transformés en brèves. Pour finalement disparaître complètement des radars médiatiques. Jusqu'à aujourd'hui, car Diego compte bien relancer l'affaire avec son émission.

— Tu vas faire quoi, alors ? s'inquiète le juge.

— Je vais diffuser l'interview de la mère d'abord. Je la vois demain chez elle. Après, je ferai comme d'habitude, je parlerai d'hypothèses. J'ai demandé à Ana de se mettre sur le coup, de voir s'il n'y avait rien à creuser au niveau familial, ou en matière de drogue, de sexe. Bref, de trouver quelque chose à nous mettre sous la dent. Tiens, la voilà. Pile à l'heure, elle…

Ana Durán et Diego Martín. Une vieille histoire. Ils se sont connus alors que le journaliste travaillait sur les réseaux de prostitution de la capitale espagnole il y a une quinzaine d'années. Ana faisait le trottoir. La transsexuelle la plus demandée de la rue del Pez. La star du quartier. Pas très grande mais à la plastique parfaite, blonde aux yeux gris. Le chirurgien qui l'a opérée à Buenos Aires, où elle est née, a réussi un excellent boulot. Plus d'un homme s'est fait surprendre. Mais tous revenaient la voir.

Après la rue, elle a décidé de poursuivre son activité à domicile. Merci Internet. En quelques mois, elle est passée du trottoir aux premières places des plus importants sites d'escorts. À deux cents euros de l'heure la prestation, ou mille euros la nuit, elle a pu mettre de côté un petit pactole qui lui a permis de se retirer du marché du sexe pour se lancer dans un autre type de commerce : détective privée. C'est au beau milieu des filles et des trans qu'elle a longtemps côtoyés dans cette rue madrilène qu'elle a ouvert son agence, *Ana y asociados* (Ana & associés), bien qu'elle soit l'unique salariée de cette petite entreprise qui ne cesse de grandir. Au point qu'elle songe sérieusement à embaucher.

« Dix ans à faire la pute, ça vide l'âme, mais ça remplit le portefeuille et le carnet d'adresses », a-t-elle l'habitude de dire avec son accent chantant typique des habitants de Buenos Aires qu'elle n'a pas perdu, malgré les nombreuses années passées en Espagne.

Les clients ne manquent pas. Parfois, les mêmes qui la payaient pour goûter à une partie de jambes en l'air… disons originale. Son sérieux et son implication ont eu vite fait de lui forger une excellente réputation. Et il n'est pas rare que certains flics, voire certains agents du renseignement, viennent la trouver quand ils sont bloqués sur une affaire. Ana trouve, pas toujours mais très souvent, une solution ou une information qui va faire avancer un dossier. Elle possède sans conteste l'un des meilleurs réseaux d'indics de toute la capitale. Policiers, avocats, juges, voyous, politiques, journalistes. Les bas-fonds comme les palais dorés de Madrid n'ont pas de secrets pour elle. Aussi à l'aise dans un bar pourri de la banlieue que lors d'une réception officielle à La Moncloa, la résidence du président du gouvernement, où elle a été plus d'une fois invitée.

Ana fait un détour par le comptoir pour saluer le patron et commander son *cafe del tiempo*, un café serré qu'elle verse dans un verre rempli de glaçons, et vient s'asseoir à la table de ses deux compères.

— Ça va, les gars ? Quoi de neuf ?

— Comment peux-tu boire ce truc ? lui demande Diego avec un air de dégoût. Franchement, du café froid comme ça, c'est dégueulasse.

— Tu ne sais pas ce qui est bon, lui répond-elle en rigolant. Bon, sinon vous avez avancé un peu ? Parce que moi, je suis à poil, j'ai pas grand-chose à vous donner. Ce mec avait une vie tellement bien rangée, limite chiante, si vous voyez ce que je veux dire. Il a dû baiser deux fois dans sa vie, pour faire ses deux gamins…

— Merde, t'as rien trouvé ?

Diego est déçu. Il pensait vraiment qu'Ana allait lui sortir une bonne info sur Paco Gómez.

— Rien, mais tu me connais. J'ai pas mal fouillé quand même et je t'ai préparé un bon gros dossier avec tout ça. Je me suis intéressée à sa famille surtout. Tu savais que son grand-père, son père, qui est mort l'an dernier, et ses oncles étaient franquistes ?

— Le papi a été secrétaire d'État au Travail, je crois. Pour les autres, je l'ignorais. Tu crois qu'il faut fouiller dans cette direction ?

— J'en sais trop rien. En fait, ils ont tous baigné dans la politique, souvent dans l'ombre, mais toujours proches des fachos. Le petit dernier a bien sûr pris la relève, de manière plus soft, en adhérant à l'AMP dans les années quatre-vingt-dix. Il était promis à une belle carrière, jusqu'à ce qu'il prenne une balle dans la nuque.

Rien de nouveau sous le soleil. Le pays a voté une loi d'amnistie juste après la fin de la dictature, la loi d'amnésie comme dit souvent Diego, pour éviter de se pencher sur cette période trouble. Pas étonnant, du coup, que ceux qui en ont bien profité ne continuent pas comme avant. Eux et leurs enfants. Et les enfants de leurs enfants. Malgré la démocratie, rien n'a vraiment changé. Et, pire encore, le gouvernement en place prône, depuis son accession au pouvoir, un retour aux valeurs d'antan.

— Vous en pensez quoi ? demande Diego. On peut écarter le mobile du vol, il avait tout sur lui, carte bleue, fric, portable.

— Les flics n'avancent pas, ils n'ont pas le moindre début de piste – et encore moins de suspects. Ça commence d'ailleurs à ne pas plaire en haut lieu, poursuit David Ponce.

— Putain, c'est pas possible, il y a un truc qui nous échappe ! Continue de creuser, Ana, on s'appelle. Moi, je vais aller potasser ces dossiers, on ne sait jamais, je vais peut-être avoir une idée lumineuse… Au fait, c'est ton tour de payer, monsieur le juge. Allez, *hasta luego* !

* * *

Elle n'a pas touché à son sandwich. Assise à la terrasse d'un bar du centre de Madrid, elle ne cesse de fixer la porte d'entrée en fer noir d'un vieil immeuble de trois étages situé sur le trottoir d'en face. Des bureaux, dont ceux de la personne qui l'intéresse. Don Pedro de la Vega. *El Viejo* (« Le Vieux »), comme il est surnommé dans les milieux des affaires et de la politique, est réglé comme une horloge suisse. Du lundi au vendredi, les mêmes horaires à la minute près, le même chemin, le même restaurant le midi, le même parking. Et question parking, il s'y connaît de la Vega. Il en possède une douzaine dans tous les quartiers de la capitale, qui lui rapportent plusieurs millions d'euros par an. C'est ce qu'elle a découvert après de minutieuses recherches sur sa seconde cible.

À quatre-vingt-dix ans, il est l'une des plus grosses fortunes d'Espagne, et elle ne comprend toujours pas pourquoi il continue à exercer en tant que notaire. Avec l'argent amassé durant toute sa vie, il pourrait couler des jours tranquilles sur la côte méditerranéenne. La région de Valence, dont il est originaire, offre un cadre idéal pour un retraité plein aux as. Au lieu de cela, tous les jours à huit heures trente pétantes, il est le premier arrivé à son étude. Et, à part la pause déjeuner, il ne sort quasiment jamais de son bureau, dans lequel il reste enfermé jusqu'à vingt-deux heures et où se pressent tous ceux qui comptent chez les grands patrons et les politiques, des hommes en grande majorité ancrés à la droite de la droite. À croire que les salauds vivent plus longtemps que la moyenne. C'est vrai que le fric, ça conserve. À son âge, il refuse toute aide, conduit lui-même sa voiture, n'a pas de garde du corps et il tape encore dans la balle de temps à autre dans le club de tennis le plus huppé de Madrid.

Elle a eu du mal à mettre la main sur les documents attestant de la fortune d'*El Viejo*. Sociétés écrans, comptes bancaires cachés, paradis fiscaux, hommes de paille, holdings, filiales, sous-filiales. Un professionnel de la dissimulation, ce de la Vega. Il a fallu qu'elle y passe du temps, et qu'elle mette à contribution son réseau et son carnet d'adresses, pour parvenir à retracer une partie du patrimoine de celui qui fut proche de Franco. Une partie seulement, elle en a conscience, mais suffisamment pour confirmer sa place sur sa liste.

Le Vieux a été l'un des conseillers juridiques du Caudillo aussitôt après son arrivée au pouvoir en 1939. Une position dont il a su tirer le plus grand profit, pour lui et toute sa famille, de manière apparemment légale à chaque fois, mais en franchissant souvent la ligne jaune. Sans jamais se salir les mains, ça non. Le pouvoir et l'argent ouvrent bien des portes et permettent de faire faire son sale boulot par d'autres. Tout est toujours une question de fric. Plus le prix à payer est élevé, plus on s'assure de la bonne marche de ses affaires et, surtout, du silence de ses hommes de main et de ses complices.

Elle surveille de la Vega depuis plusieurs semaines. Histoire de s'assurer qu'il ne déroge pas à ses habitudes. Histoire de bien repérer les différents lieux où il se rend. Pour décider, ironie du sort, que le meilleur endroit pour frapper est le parking où il gare sa voiture tous les jours. Elle s'y est rendue à de nombreuses reprises, changeant son apparence et conduisant des véhicules de location différents, se garant à des places diverses, repérant les caméras de vidéosurveillance. Pour finir par choisir le lieu le plus approprié. Dans un virage assez sombre, un angle mort que le système ultra-sophistiqué de sécurité n'a pas réussi à couvrir.

Elle regarde sa montre. Il est 14 h 20. Dans dix minutes, Le Vieux va s'engouffrer dans le parking, monter dans sa voiture pour aller déjeuner dans son restaurant favori. Elle se lève, termine son verre d'eau, prend ses affaires et se dirige calmement vers l'entrée du parking, située juste à côté du bureau du notaire. Un tailleur strict, un sac de marque, une sacoche pour ordinateur portable, un kit mains libres. Elle se fond dans la masse de la Gran Vía, l'une des avenues les plus passantes de Madrid, comme n'importe quelle autre femme d'affaires du quartier. Impossible, pour quiconque la croise à cet instant, de se douter qu'elle s'apprête à commettre un meurtre.

À 14 h 26, elle a réglé ce qu'elle devait et fait mine de se diriger vers sa voiture, son ticket de sortie à la main. Elle a cinq minutes pour faire ce qu'elle a à faire et quitter les lieux. Elle a repéré un petit passage de service où elle va se poster pour attendre sa future victime. Elle ouvre son sac à main, en sort une arme et un silencieux, qu'elle a achetés d'occasion sous une fausse identité sur eBay. Elle respire à fond pour faire baisser son rythme cardiaque.

Il est 14 h 29. Plus qu'une minute à attendre. Une portière claque, un bruit de moteur. Pile à l'heure,

Le Vieux. La grosse berline s'approche. Encore trente secondes. Elle retire ses escarpins et s'avance maintenant au centre du virage. De la Vega arrive et freine brusquement, surpris de voir une femme pieds nus lui faire des signes de la main. Il baisse sa vitre électrique.

— Ça va, madame ? Que vous arrive-t-il ?

— Vous êtes bien Don Pedro de la Vega ?

— Oui, mais comment… ?

Elle appuie une fois sur la détente, en prenant soin de se protéger pour ne pas recevoir d'éclaboussures de sang. Une seule balle en plein front. Quasiment à bout portant. La tête du Vieux repose sur son siège, les yeux grands ouverts, comme s'il réfléchissait. Un mince filet rouge coule sur son visage. Elle se rechausse et regagne sa voiture d'un pas rapide, à peine une minute après avoir tiré une balle dans la tête d'un homme pour la seconde fois en six mois. À 14 h 32, elle quitte le parking. Au premier feu rouge, elle ouvre la boîte à gants, en sort un papier sur lequel sont inscrits plusieurs noms et raye d'une main dont elle a du mal à contrôler les tremblements celui de Pedro de la Vega. Puis le feu passe au vert et elle se fond dans la circulation madrilène.

3

Après sa longue pause déjeuner et sa réunion de travail avec ses deux plus proches amis, Diego regagne les locaux de Radio Uno, situés dans l'une des plus hautes tours de Madrid. L'après-midi est déjà bien avancé. Dans son sac, le dossier d'instruction que le magistrat lui a passé sur l'assassinat du jeune élu de l'AMP et celui, plus épais, qu'Ana lui a concocté. Il pénètre dans le hall immense du bâtiment, salue les vigiles et monte au sixième étage. Dans l'ascenseur, se trouvent plusieurs de ses collègues, nouvelles recrues embauchées par le président de la radio publique nommé quelques jours à peine après les élections. Dès son installation, la première décision de l'exécutif fut de modifier la loi sur l'audiovisuel afin de décider sans concertation qui seraient les dirigeants de la télévision et de la radio de service public. Histoire de museler très vite les médias et d'envoyer un message clair et fort : aucune contestation ne sera acceptée. Des jeunes gens bien propres sous tous rapports donc, la plupart fraîchement diplômés d'une école de journalisme du nord du pays. Un établissement tenu par l'*Opus Dei*.

L'ambiance est glaciale dans la cabine qui commence à monter. Pas un mot d'échangé, seul le bruit du moteur vient troubler le silence pesant. Diego s'amuse à les fixer de manière insistante l'un après l'autre. Aucun ne résiste à son regard moqueur. Ils baissent tous rapidement les yeux ou font mine de jeter un œil à leur téléphone portable. Pour qui veut gravir rapidement les échelons et les étages de ce média, mieux vaut avoir le moins de contact possible avec le « rouge » de la maison.

D'un coup d'épaule bien senti pour se frayer un chemin vers la sortie, Diego bouscule celui qui lui bouchait le passage. Il sort de l'ascenseur et emprunte un long couloir. Tout au fond, entre les toilettes et le local utilisé par le personnel d'entretien pour ranger son matériel, c'est là que se trouve son petit bureau. À peine dix mètres carrés, une fenêtre minuscule, plutôt une meurtrière, pas de climatisation. Une pièce où rien n'est aux normes, qui ne devrait même pas servir de débarras. Avec des papiers, des livres, des journaux un peu partout, une télé accrochée au mur. Le pire endroit de toute la radio. Un écran d'ordinateur apparaît dans tout ce fatras ; il ne l'a jamais allumé. Le clavier traîne par terre. Diego n'aime pas les PC et il s'interdit de toucher au matériel informatique fourni par son employeur à la botte du pouvoir. Un MacBook Air et une clé USB 4G lui suffisent.

Ce n'est pas la taille du bureau qui compte de toute façon. Diego s'en fout. Il ne jure que par l'enquête, le travail de terrain, le contact avec ses sources, la vérification des informations. Les règles de base du journalisme, en somme. Des règles qui semblent avoir été oubliées depuis longtemps. Dans un monde où il faut toujours aller plus vite, être le premier sur le coup, quitte à donner une info non vérifiée, voire fausse, lui aime aller à son rythme, prendre son temps. Partisan de ce que les spécialistes appellent aujourd'hui le *slow journalism*, le journalisme lent, en opposition aux chaînes d'information en continu qui martèlent à tout-va n'importe quoi pour meubler leur temps d'antenne. Contre la dictature de l'urgence imposée aussi par les réseaux sociaux. Diego n'a pas de compte Facebook, et il utilise Twitter de manière sporadique. Partisan également de la levée du secret de l'instruction, une hypocrisie totale qui entraîne des dérives. Comme si sa profession avait besoin de cela pour ne pas franchir au quotidien les limites de la décence.

Aucune touche personnelle dans ce bureau, à part une photo scotchée sur l'écran toujours noir du PC. Carolina. Sa femme pose, souriante, dans ce qui paraît être un restaurant. La tête légèrement inclinée sur la gauche, la main droite sous le menton, comme elle avait l'habitude de se tenir, ses longs cheveux roux détachés, une mèche tombant sur ses grands yeux verts. Un autre temps. Une autre vie. À deux. Jusqu'à ce soir d'hiver où tout s'est écroulé. Un coup de fil et le journaliste a basculé dans le cauchemar après dix ans de vie commune.

Alors qu'il travaillait tard chez lui à la relecture des épreuves de son dernier livre, une enquête au long cours sur l'arrivée des gangs latinos en Espagne, un SMS de l'un de ses informateurs policiers le tire de sa concentration. Un seul mot : *« Estocade »*. Le code qu'ils ont mis en place en cas de situation d'urgence. Une manière de procéder qui fonctionne bien, pas besoin de longs messages, juste un mot pour se donner rendez-vous immédiatement. Avec des termes différents selon le degré de sensibilité des informations, tous issus du vocabulaire de la tauromachie pour ces deux grands aficionados des corridas.

C'est la première fois que son indic lance l'alerte de cette façon. Diego comprend tout de suite qu'il se passe quelque chose de très grave. Il lâche son stylo, ses feuilles, éteint sa chaîne hi-fi qui diffusait du Pink Floyd, prend son blouson, ses cigarettes, ses clés et il claque la porte de chez lui sans même éteindre les lumières. Il est à quelques rues seulement de l'endroit où il doit retrouver le flic. Sur le chemin, son téléphone n'arrête pas de sonner. Des numéros masqués, des amis, le service de communication du ministère de l'Intérieur, puis celui de la Justice. Quelque chose ne tourne pas rond. Il presse le pas pour finir par se mettre à courir. Un mauvais pressentiment, la panique qui monte. Malgré la température glaciale, il commence à transpirer, à avoir les mains moites, un début de migraine. En moins de dix minutes, il se retrouve face à son indic, sur la place du Dos de Mayo, au pied de la statue représentant Daoíz et Velarde, les deux héros du 2 mai 1808, quand les Madrilènes ont résisté à l'invasion des troupes napoléoniennes.

Le flic, membre du GEO, l'unité d'élite et d'intervention de la police nationale, l'attend déjà sous le porche en briques rouges qui abrite la statue. Il a sa tête des mauvais jours, il ne lui serre pas la main, lui passe un bras autour des épaules.

— Diego, c'est Carolina…

— Non !

Son cri déchire la nuit madrilène.

Il s'écroule, se retrouve assis sur le bitume, se prend la tête à deux mains, incapable de réagir. Comme anesthésié. Il lui faut plusieurs minutes pour encaisser le choc. Puis les questions se bousculent. Où ? Quand ? Comment ? Qui ? Pourquoi ?

— Je suis vraiment désolé, mec. Dans ces moments-là, il est difficile de trouver les mots justes. Allez, viens, tu n'es pas en état de conduire, je te dépose à l'institut médico-légal, il faut que tu reconnaisses le corps. C'est la procédure, dit le flic.

— Pas tout de suite, lui rétorque Diego, les yeux rougis, en se relevant difficilement. Avant cela, je veux voir où ça s'est passé. Tu as plus d'infos ?

— Pas encore. Les collègues sont sur place, ils t'en diront sûrement plus.

Direction le quartier de Chueca, où Carolina dînait avec des amis, ceux qui ont tenté de le joindre tout à l'heure, en ce jeudi soir de décembre. À l'entrée du restaurant, la bande jaune de la police, des voitures aux gyrophares allumés, des badauds, l'attroupement classique dans ces moments-là. L'équipe de la scientifique, à pied d'œuvre dans sa traditionnelle combinaison blanche, a déjà fait enlever le corps.

Une scène de crime comme Diego en a connu des dizaines, en Espagne et dans de nombreux pays d'Amérique latine. Une expérience qui lui a permis de se blinder, de se forger une véritable carapace face aux cadavres et à la mort. Mais pas ce soir. Ce soir, il s'agit de Carolina. Sa femme. Celle avec qui il voulait partager le reste de ses jours. Avec qui il voulait fonder une famille. Ils avaient pris cette grande décision quelques mois auparavant et, depuis, ils essayaient d'avoir un enfant.

À la vue de la flaque de sang sur le bitume, à l'endroit où elle est tombée, Diego doit faire un effort surhumain pour ne pas s'effondrer de nouveau. Il aperçoit David Ponce, qui s'approche de lui et le soutient. À l'époque, le juge et le journaliste étaient de simples connaissances qui s'estimaient et s'entendaient déjà bien.

— Qu'est-ce que tu fous là ? parvient-il à articuler péniblement.

— Je suis de garde cette nuit. Écoute, Diego, toutes mes condoléances. Tu sais combien j'appréciais ta femme. La seule chose que je peux te dire pour le moment, même si ça ne te consolera pas, c'est qu'elle n'a pas souffert. Elle est morte sur le coup. Je te promets qu'on va tout faire pour arrêter ceux qui sont derrière ça.

— Dis-moi comment ça s'est passé…

— Deux gars à moto à la sortie du restaurant. Tout est allé très vite. Celui qui conduisait a démarré en trombe, le passager a sorti une arme, il a tiré cinq fois et ils ont pris la fuite. Ils étaient déjà loin quand les flics sont arrivés.

Une exécution en bonne et due forme. Un mode opératoire bien connu des services de police et de renseignements. La signature des narcos latinos.

Malgré les efforts de son ami magistrat et des policiers chargés d'élucider ce crime, l'enquête n'aboutira pas. L'assassin de Carolina n'a jamais été arrêté et Diego n'a plus jamais été le même. Si elle est morte, c'est sa faute, et il s'en veut. Il avait reçu de nombreuses menaces de mort à la suite de ses reportages sur les trafics de drogues. Les chefs de plusieurs cartels mexicains avaient fait savoir que lui ou sa famille allaient payer cher le fait qu'il fourre son nez dans leurs affaires. Diego n'y croyait pas. « Ils ne vont tout de même pas venir jusqu'ici pour me coller une balle, ne t'inquiète pas », répétait-il à sa femme. Pour la rassurer, il avait même mis un frein à ses voyages là-bas.

Mais les narcos ne reculent vraiment devant rien. Avec l'aide de son amie Ana Durán, Diego a mené une enquête parallèle. Pour finir par découvrir que c'est *El Loco*, « Le Fou », le chef du cartel de Juárez, l'une des plus grosses organisations criminelles d'Amérique latine, qui avait commandité le meurtre. Un tuyau d'un fédéral mexicain, membre de l'agence antidrogue. Le mafieux, égal à lui-même et à sa réputation lui ayant valu son surnom, aurait dit à ses hommes qu'il ne voulait pas tuer le journaliste, plutôt le faire souffrir jusqu'à la fin de ses jours. Et il leur a ordonné d'éliminer sa femme. Diego et Ana ont aussi appris que les deux tueurs à gages chargés de l'opération ont fait un aller-retour express en avion. Mexico-Madrid, arrivée à vingt heures. À une heure du matin, ils tuaient Carolina. Le lendemain tôt, ils étaient déjà dans un avion. Retour à la maison. La justice n'a rien pu faire malgré leur identification. Pour celui qui conduisait la moto, la guerre entre les cartels a eu raison de lui. Mort d'une rafale de AK-47 lors d'un affrontement avec une organisation ennemie. Quant au tireur, nul ne sait où il est. Sans doute six pieds sous terre aussi. Dans ce genre de boulot, l'espérance de vie est plutôt réduite. C'est du moins ce qu'espère Diego.

Après l'assassinat de sa femme, il a sombré dans une profonde dépression dont il n'est jamais réellement sorti. Il voit peu de monde, refuse presque toutes les invitations à dîner. Et pour ce qui est de rencontrer quelqu'un, cette idée ne lui a même pas traversé l'esprit. Cinq ans ont passé, mais sa blessure n'est pas encore cicatrisée. Le sera-t-elle un jour ?

Une fois installé à son bureau, et content de sa petite provocation dans l'ascenseur auprès de ses nouveaux collègues, il ouvre le dossier qu'Ana lui a remis sur l'élu de l'AMP, prend une cigarette et commence à lire le compte rendu de la détective. Il sent que cette affaire a quelque chose de spécial, sans parvenir à savoir quoi. Une intuition.

Machinalement, il tend la main et allume la télévision, le son au minimum. La chaîne info annonce un flash spécial après la pub.

* * *

Isabel Ferrer a passé l'après-midi chez elle. L'avocate avait besoin de se retrouver seule après une matinée compliquée et un déjeuner mouvementé. Célibataire de trente-huit ans, française, sans enfants, cette petite-fille et fille d'immigrés espagnols, qui possède la double nationalité, a toujours gardé un lien étroit avec le pays de ses parents et grands-parents. Après de brillantes études de droit, cette jolie brune aux grands yeux noirs d'un mètre soixante-dix intègre dès sa sortie de l'université l'un des plus importants cabinets de pénalistes de Paris. Là, elle va gravir tous les échelons, faire ses preuves dossier par dossier, client après client. Le petit dealer de cité finit par laisser sa place aux criminels les plus virulents, les plus en vue aussi. Des comparutions immédiates de ses débuts, elle est passée aux grands procès d'assises médiatiques. Elle a défendu des escrocs, des assassins, des trafiquants de drogue, des braqueurs. Tous les chefs d'accusation y sont passés, sauf les crimes sexuels. Elle a toujours refusé de mettre son talent au service d'un violeur ou d'un pédophile. Seule entorse à son serment d'avocat. Seule entaille dans sa ligne de conduite, elle pour qui chaque personne, quel que soit le crime qu'elle a pu commettre, mérite d'être défendue. Mais les viols, ça, non. C'est au-dessus de ses forces. Elle ne se l'explique pas, mais c'est ainsi. Et personne ne s'en est plaint.

Isabel n'a pas gagné tous ses procès, loin de là, mais son éloquence, ses plaidoiries enflammées ont réussi à semer le doute chez bon nombre de jurés et à faire réduire les peines de certains de ses clients. Certains médias sont aussi tombés sous son charme et en ont fait un symbole, celui des belles de prétoires, ces jeunes avocates talentueuses et jolies par-dessus le marché. Une réussite qui, parfois, lui vaut des prises de bec mémorables avec sa famille, qui ne comprend pas toujours comment elle peut prendre fait et cause pour un tueur ou un grand criminel.

Au sommet de sa carrière, alors qu'elle devait enfin voler de ses propres ailes et ouvrir son cabinet, elle plaque tout et fait le chemin inverse de ses grands-parents, de sa mère, de son père. Elle franchit les Pyrénées pour s'installer à Madrid. En une semaine, sans donner d'explications, tout était réglé. Plus de clients, plus de dossiers, plus de Barreau de Paris. Elle a expédié les affaires courantes, mis en vente son bel appartement de Neuilly, vendu en deux jours, est montée dans un avion et a posé ses valises et ses cartons dans un des quartiers les plus chic de la capitale, Salamanca.

Personne autour d'elle n'a compris, pas même ses parents. Un coup de tête que certains de ses proches ont mis sur le compte du burn-out. Trop de travail, elle a craqué. D'autres se disent qu'il s'agit de sa manière à elle de réagir à la mort de son grand-père, dont elle était très proche, décédé quelques semaines auparavant à l'âge de quatre-vingt-treize ans. Il n'y a que sa grand-mère qui n'a rien dit. Elle d'habitude si volubile est restée muette. Elle a serré sa petite-fille dans ses bras à l'aéroport le jour de son départ, en évitant son regard pour ne pas se mettre à pleurer. Isabel ne s'est pas retournée et a passé rapidement les contrôles de sécurité, avant de gagner la salle d'embarquement. Alors qu'elle changeait de vie, bizarrement, elle se sentait sereine, comme apaisée.

C'est loin d'être le cas aujourd'hui. Une fois dans son appartement, elle a filé sous la douche. Une heure sous un jet d'eau chaude puissant n'a pas suffi à lui faire retrouver un peu de calme et de sérénité. Elle a tenté de dormir un peu, mais impossible de fermer l'œil. Elle n'a rien avalé depuis la veille. Une forte migraine l'empêche de se concentrer. Elle met deux tranches de pain à griller, sur lesquelles elle dépose un filet d'huile d'olive et une poignée de sel. Le goûter que lui préparait sa grand-mère quand elle était petite. Elle se force à les avaler en même temps qu'un cachet pour calmer cette douleur qui lui vrille le cerveau. La journée est loin d'être finie, un moment important l'attend. Elle doit paraître en pleine forme et, surtout, en pleine possession de ses moyens. Retour dans la salle de bains pour se maquiller et faire disparaître son teint fatigué et ses cernes. Elle choisit un tailleur clair dans son dressing, ramasse les papiers qui traînent sur la table du salon, les range dans sa sacoche. C'est l'heure. Près de la Puerta del Sol, en plein centre touristique de Madrid, elle espère qu'ils sont nombreux à l'attendre.

Une dizaine de journalistes font déjà le pied de grue devant la porte du numéro 1 de la rue Cervantès, intrigués par une invitation à une conférence de presse envoyée par un collectif inconnu. Sur le carton, juste quelques lignes indiquant qu'une information d'une importance capitale, qui peut mettre en danger la démocratie, sera révélée à ce moment-là. À vingt heures. Pile pour faire les gros titres des JT qui commencent une heure plus tard. Une idée d'Isabel. Appâter les médias. Qu'ils viennent. Qu'ils écoutent. Et qu'ils relaient au plus grand nombre.

Il n'en fallait pas plus pour que la meute se pointe. Les camionnettes des chaînes de télé sont garées en double file, empêchant toute circulation. Des voitures aux logos des radios nationales stationnent sur le trottoir. Deux policiers municipaux tentent, tant bien que mal, de ramener un semblant d'ordre. L'un d'eux parle dans son talkie-walkie, demande des renforts en faisant de grands gestes qui provoquent l'hilarité des passants.

Isabel se fraie difficilement un chemin parmi la foule. Quand les journalistes se rendent compte qu'elle compose le code de la porte d'entrée, les flashs se mettent à crépiter, les micros se tendent. Un début de bousculade mais elle parvient à s'engouffrer à l'intérieur de l'immeuble sans dire un mot.

Au premier étage, elle retrouve le reste de l'équipe. Une dizaine de personnes. Des femmes en majorité, qui ont préparé l'endroit comme elle leur avait demandé. Sur une petite estrade, une longue table, des chaises et, sur le mur, des photos en noir et blanc, certaines en couleurs, jaunies par l'épreuve du temps. Des visages d'enfants uniquement. En face, une cinquantaine de sièges vides. Plus pour longtemps. L'air est irrespirable, pas de clim dans la salle. Et la tension est palpable. Tous savent qu'ils ne pourront plus faire machine arrière. Une fois cette conférence de presse terminée, leur vie va changer. Ils en sont conscients. Ils sont prêts.

Après avoir salué tout le monde, Isabel, de plus en plus tendue, s'assoit sans dire un mot, sort ses papiers et commence à les relire. C'est l'heure. D'un simple hochement de tête, elle donne le signal de départ. Les portes s'ouvrent. La pièce met moins de deux minutes à être envahie. Les cameramen installent leur matériel au fond, les reporters radio posent leurs micros devant une Isabel impassible, les yeux dans le vague, qui n'entend même pas leurs questions.

Une fois tout ce petit monde prêt, elle se lève, provoquant instantanément le silence. Elle n'a pas encore ouvert la bouche. Juste un signe de la main vers la porte du fond pour faire entrer cinq personnes, cinq femmes, portant des masques blancs. Elles s'avancent d'un pas mal assuré, effrayées par les projecteurs braqués sur elles. Elles viennent prendre place aux côtés d'Isabel. L'incompréhension se lit sur les visages des journalistes, qui se demandent ce que tout cela signifie, qui commencent à envoyer des messages à leurs rédactions, conscients que ces images vont faire sensation, sans savoir encore de quoi il en retourne exactement. Tous s'arrêtent rapidement de tapoter sur leurs Smartphones quand Isabel prend enfin la parole.

— Bonsoir à toutes et à tous. Merci d'avoir accepté notre invitation. Vous devez sans doute vous demander qui nous sommes et pourquoi ces masques. Ne vous inquiétez pas. Quand vous sortirez d'ici, vous comprendrez pourquoi ces femmes souhaitent rester anonymes pour le moment. Moi, je ne le suis pas, je suis leur porte-parole. Je m'appelle Isabel Ferrer, je suis avocate et je représente ces femmes et une trentaine d'autres personnes, des hommes aussi, des jeunes et des moins jeunes, qui ont décidé de se regrouper aujourd'hui pour réclamer justice.

Durant une vingtaine de minutes, la salle entière, suspendue aux lèvres d'Isabel, retient son souffle. Elle a organisé son intervention comme une plaidoirie. La différence, c'est qu'ici, elle n'est pas debout face à des magistrats, des jurés, une défense et des parties civiles, mais assise devant un auditoire de journalistes. Elle y met tout son cœur, toute son énergie et toute sa verve. Elle sait convaincre, utiliser les mots justes, ceux qui font mouche. Comme dans une cour d'assises. C'est un combat qu'elle entend mener devant ce tribunal médiatique.

— Je ne vais pas vous faire l'affront de vous raconter l'histoire de la dictature, de l'arrivée de Franco au pouvoir. Mais je vous demande de vous replonger dans cette sinistre époque, de regarder en arrière, en 1939, et les années noires qui ont suivi. Je vous demande aussi de vous rappeler sa mort en 1975, la période de transition qui a suivi, le vote de la nouvelle Constitution en 1978, la loi d'amnistie qui a été promulguée pour nous permettre de vivre aujourd'hui en démocratie.

Regards interrogateurs échangés entre les envoyés spéciaux, sourcils qui se lèvent, haussements d'épaules, quelques signes d'impatience aussi. Dans un pays retombé aux mains de la droite dure, ce genre d'introduction laisse augurer le pire à des journalistes un peu plus muselés qu'avant. Isabel fait planer un long silence, rendant l'attente insupportable, avant de poursuivre, d'une voix de plus en plus forte et assurée.

— Je ne vous apprends rien en vous disant que de nombreuses exactions ont été commises durant ces trente-six années de franquisme. Et que la transition démocratique n'a été possible que parce que nous avons, tous autant que nous sommes, bien voulu fermer les yeux. Il ne fallait surtout pas remuer le passé, condamner ceux qui les avaient perpétrées. Peut-être que ce que je vais vous révéler maintenant va vous surprendre, mais c'est pire que tout ce que vous pouvez imaginer. Je veux parler de vols de bébés. D'enfants retirés de force à leurs familles « rouges » dans le but d'éradiquer les antifranquistes. Il n'est pas question ici d'un enlèvement ou deux, mais bien d'une véritable organisation criminelle chargée par tous les moyens d'arracher ces gamins à leurs parents.

Murmures dans la salle, flashs qui crépitent de nouveau, stylos qui fusent sur les calepins, mains qui se lèvent pour tenter d'interpeller directement l'avocate. Un scandale d'État est tout simplement en train d'être porté à la connaissance du public. Il y avait des rumeurs bien sûr, des historiens avaient évoqué cette possibilité, sans jamais apporter de preuves. Isabel semble dans un état second, elle remarque à peine l'agitation qu'elle a provoquée. Elle continue son discours, comme si de rien n'était. Avec la même efficacité, d'autant que les victimes, affirme-t-elle, se compteraient par milliers, voire par dizaines de milliers.

— Et, le pire, c'est que le système a survécu à son fondateur. Croyez-moi, des années après la mort de Franco, de « bonnes » familles catholiques ont continué à « acheter », il n'y a pas d'autre mot, un bébé dont les parents biologiques étaient issus des classes les plus défavorisées. C'est la raison pour laquelle nous créons aujourd'hui l'Association nationale des enfants volés, l'ANEV. Nous sommes certes un petit nombre pour le moment, mais nous espérons que ce chiffre va augmenter dans les jours qui viennent. Nous lançons un appel solennel à toutes celles et tous ceux qui pensent avoir été les victimes de ce trafic. Que vous soyez les enfants, les parents, des membres de la famille. Si vous avez le moindre doute, n'hésitez plus et venez nous voir. Nous n'avons pas peur et nous disons de manière très ferme à ceux qui savaient et qui n'ont rien dit, comme à ceux qui sont coupables de tout cela, que nous ne les laisserons plus tranquilles. Nous les combattrons jusqu'à notre dernier souffle. Quant aux politiques, qu'ils ne nous ressortent pas la loi d'amnistie. Nous parlons ici de crimes contre l'humanité, ils sont imprescriptibles. Nos cousins argentins ou chiliens l'ont fait. Il serait peut-être temps qu'ici aussi, on se penche vraiment sur notre passé. Et que ceux qui doivent payer règlent leur dette une bonne fois pour toutes. Nous en avons assez de nous taire. Nous ne pouvons pas laisser ces mères et ces pères de famille, à qui on a volé les enfants, sans réponses. Je vous remercie pour votre attention.

Isabel se lève et met fin à la conférence de presse, sans laisser le temps aux journalistes de poser une seule question. Sans oublier de leur préciser que dans les prochains jours, des révélations et des informations concrètes seront disponibles. Sa stratégie est simple. Lâcher la nouvelle explosive, laisser les médias se ruer dessus, à coup d'éditions spéciales, d'experts et d'analystes en tous genres, les faire mariner un peu. Et revenir à la charge en distillant des preuves, des documents d'époque, au compte-gouttes.

En attendant, elle a besoin de se reposer un peu. De s'éloigner de la vague médiatique qui va déferler. De prendre également le temps de se pencher sur les dossiers qu'elle a réunis. De s'imprégner des premiers témoignages des mères et des pères qui recherchent leurs enfants. Et de continuer en parallèle à préparer son prochain rendez-vous. Il ne le sait pas encore, mais un homme va bientôt croiser sa route.

4

Diego ne dort quasiment plus. La tempête médiatique qui a suivi la conférence de presse de l'ANEV a tout emporté sur son passage. Depuis quarante-huit heures, il n'est question que de ça. Journaux, radios, télés, sites internet, quel que soit le support et quel que soit le moment de la journée, dans la rue, au café, au travail, partout. Le pays tout entier ne parle plus que des bébés volés. Comme s'il venait brusquement de se réveiller. Ou plutôt de sortir du coma. Pour Diego, c'est bien sûr le sujet prioritaire. Problème : il doit continuer à assurer le cours normal de son émission tout en commençant à s'intéresser de plus près à cette histoire. Il en est conscient, ses auditeurs ne comprendraient pas qu'il n'en parle pas. Mais il sait aussi que rien ne sert de courir. Laisser les autres à leurs conjectures et enquêter tranquillement. Voilà ce qu'il tente de faire. Pas facile de se tenir à cette discipline quand le sujet est aussi brûlant et omniprésent.

Dès l'annonce de la création de cette association, il a entamé des recherches en ligne et il a mis Ana sur le coup. Il n'a pas eu besoin – comme c'est arrivé parfois – de beaucoup d'arguments pour la convaincre. La détective l'a appelé très vite pour lui proposer ses services. Ana l'Argentine, qui était dans une rage folle. Qui revivait les pires heures de son adolescence, quand les généraux étaient au pouvoir, quand le fait d'être différente, de vouloir changer de sexe lui a valu de connaître la prison, la torture. Avant de fuir tout ça. Et voilà que la terre qui l'a accueillie lui refait le coup. Le même système, les mêmes ingrédients. Et les mêmes victimes. Des gamins qui, aujourd'hui encore, cherchent la vérité du côté de Buenos Aires. D'autres vont connaître ça, ici, en Espagne. Combien sont-ils ?

— C'est un truc de fous, Diego ! lui dit-elle en hurlant au téléphone. Mais tu te rends compte ? C'est comme chez moi, comme dans toutes les dictatures latinos. Putain, j'en reviens pas !

— C'est vrai que ça paraît hallucinant. Il faudrait savoir combien ils sont surtout. Car les rumeurs parlent de plusieurs milliers.

— Tu t'imagines ? Bien sûr que c'est vrai. C'est les mêmes, il n'y a que les noms qui changent. Quelle bande de fils de pute ! Franchement, faire ça à des enfants… Je les buterais, c'est tout ce qu'ils méritent !

— Calme-toi, calme-toi. Bon, je sais que c'est facile à dire et que c'est un sujet sensible pour toi. Mais raconte pas n'importe quoi. Si j'ai bien compris, tu t'y colles tout de suite ? Essaie de voir ce que tu peux trouver assez rapidement comme premiers éléments. Cette histoire peut foutre le gouvernement par terre, mais aussi la monarchie. Bref, ça pue. Regarde également du côté de cette association. Qui est derrière, combien ils sont, qui les finance. Et renseigne-toi sur cette avocate, celle qui parlait…

— À ce propos, je la connais, figure-toi !

— Quoi ? Et tu me le dis que maintenant ? C'est qui ? Comment ?

— Elle m'a engagée il y a quelques semaines pour que je monte un dossier sur un notaire. De la Vega, tu sais, celui qui est plein aux as, l'un des financiers de l'AMP.

— Pourquoi elle t'a demandé ça ?

— J'en sais rien. Tu sais bien que je me contente de faire mon boulot sans trop poser de questions. C'était un dossier intéressant d'ailleurs, je te raconterai. Du coup, j'ai son portable. Je vais essayer de la contacter et la voir vite. Je te tiens au courant.

Pas le temps de tergiverser. Diego doit encore finaliser le montage de l'entretien qu'il a eu avec la mère de Paco Gómez, l'élu assassiné. Celui qu'il doit diffuser dans sa prochaine émission. Un joli coup, une exclusivité arrachée à force d'insister, en frôlant le harcèlement téléphonique.

C'est la première fois qu'elle parle à un média. Et à un journaliste qu'elle n'apprécie pas franchement, dont elle ne partage pas les convictions. Elle le lui a fait comprendre dès qu'il est arrivé chez elle.

— Je ne vous aime pas, Diego Martín. Je n'aime pas ce que vous représentez. Vous faites de l'argent en profitant de la mort des autres, sur le dos des familles qui ont perdu un être cher. Mais je reconnais aussi que vous êtes têtu, persévérant, sans doute une qualité dans votre métier. Vous ne lâchez rien et je pense que vous êtes malheureusement la seule personne à pouvoir découvrir qui a tué mon fils. C'est pour ça que j'ai accepté de vous recevoir.

Ambiance. L'enregistreur était déjà en route et Diego sait à ce moment-là qu'il va diffuser ce passage. À part ça, une interview tout ce qu'il y a de plus classique, avec juste ce qu'il faut d'émotion. Dans ce milieu bourgeois, ça ne se fait pas d'exprimer ses sentiments, qui plus est en public. La voix de la mère tremblotante, qui a retenu ses larmes jusqu'au bout, avant de lâcher prise à la dernière question et d'éclater en sanglots. Un bon moment de radio en perspective quand même.

Le casque vissé sur les oreilles, l'ordinateur allumé, le logiciel de montage lancé, il a du mal à se concentrer. Le regard vague, l'esprit ailleurs, il entend sans écouter les réponses de son interlocutrice. Il sursaute quand son téléphone se met à sonner. Un numéro de fixe. David Ponce à l'autre bout du fil. Il est rare que le juge l'appelle directement depuis son bureau.

— David, ça va ?

— Très bien et toi ? Dis-moi, je t'appelle car je voulais confirmer notre rendez-vous de demain soir. C'est bien à vingt et une heures ?

Surpris par le ton et la question de son ami, Diego ne laisse rien transparaître. Plus d'une fois, le magistrat lui a fait part de ses doutes. Président de l'Association de la magistrature (ASM), un syndicat classé à gauche, il pense être sur écoute. S'il l'appelle comme ça, c'est qu'il doit avoir quelque chose d'important à lui dire.

— Oui, c'est ça, vingt et une heures. Nous n'avons qu'à nous retrouver dans le café en face de ton bureau. Tu me feras part de la position officielle de ton organisation sur cette affaire, précise le journaliste.

Un petit mensonge, histoire de se couvrir et de faire comprendre à David qu'il a saisi le message.

— Très bien, faisons comme ça. À demain soir !

Autant dire qu'après un tel échange, Diego décide de remettre à plus tard le montage de son interview. Il lui reste deux heures avant de retrouver David. Juste le temps de reprendre les recherches sur ces mystérieux bébés volés. Pas grand-chose de disponible en ligne. À part des dizaines et des dizaines de liens pointant vers les sites des journaux du monde entier relatant la création de l'ANEV et les conséquences possibles que pourraient avoir les révélations annoncées sur le pays. Concrètement, rien ou presque. Quelques blogs d'anarchistes ou des commentaires postés sur des forums de discussion d'extrême gauche faisant part de rumeurs sur des couples de républicains qui auraient été assassinés par la police politique de Franco pour leur prendre leurs enfants afin de les éduquer selon les principes et les valeurs catholiques. Ou encore des avortements forcés de femmes soupçonnées de militer au Parti communiste clandestin.

Bref, il va falloir oublier Internet et enquêter à l'ancienne. Se plonger dans les livres, passer du temps aux archives nationales, parler à des historiens, des opposants de l'époque, même s'ils sont de moins en moins nombreux. Et surtout, rencontrer cette avocate, qui semble en savoir beaucoup plus que ce qu'elle a dit l'autre jour devant les caméras.

Diego appelle Ana avant de partir rejoindre le juge Ponce. La détective décroche dès la fin de la première sonnerie, comme si elle attendait son appel et qu'elle savait ce qu'il allait lui demander. Avant même qu'il ait pu poser sa question, elle annonce :

— Je n'arrive pas à la joindre, elle a dû éteindre son téléphone.

— Merde ! Continue, insiste, appelle toutes les dix minutes, mais il faut absolument que je la voie. C'est elle qui a les infos, c'est par elle qu'on pourra avancer.

Diego ne se fait guère d'illusions. Il va falloir compter sur un coup de chance ou sur un sacré malentendu pour qu'elle accepte de le rencontrer. Il est pourtant persuadé que c'est elle qui détient une partie des réponses. L'idéal serait qu'elle possède aussi des preuves tangibles et concrètes qui ne laisseraient planer aucun doute sur la véracité de ses déclarations. Et qu'elle veuille bien les lui montrer. Mais on peut toujours rêver.

* * *

Le train pour Barcelone vient de quitter la gare d'Atocha. Dans deux heures, elle foulera les pavés des fameuses Ramblas de la ville des prodiges. Elle a un rendez-vous non loin de là, dans une petite rue du Barrio Gótico, avec un médecin. Pour l'occasion, elle s'est teint les cheveux en blond. Une couleur qui fait ressortir ses grands yeux noirs en amande. Mieux vaut éviter d'être reconnue quand on va voir ce genre d'individu. En jean, tee-shirt et Converse, elle a tout d'une personne qui part en week-end prolongé. Mais c'est un voyage rapide qu'elle a prévu de faire. Une fois sa rencontre terminée, elle prendra immédiatement le chemin du retour. En fonction de l'heure, elle essaiera d'attraper le dernier train, qui part à minuit pile. Sinon, elle a réservé une chambre dans une petite pension de famille pour y passer une nuit, courte, avant de retrouver Madrid.

La climatisation poussée au maximum dans le wagon la fait frissonner. Elle est assise seule côté fenêtre, dans une voiture de première classe à moitié vide, les journaux du jour pas encore ouverts posés sur sa tablette, un petit sac de voyage à ses pieds. Quand le contrôleur a voulu l'aider à le ranger dans le porte-bagages au-dessus de sa tête, elle a gentiment mais fermement décliné son offre, arguant qu'il contenait son ordinateur, qu'elle allait s'en servir et profiter du voyage pour s'avancer dans son travail.

Il y a surtout son P38 et son silencieux dedans. Et un dossier composé de plans de la ville, de plusieurs documents officiels et d'un jeu de photos d'un homme dans la rue et dans divers lieux publics prises au téléobjectif. Juan Ramírez, troisième du nom. Fils et petit-fils de… Juan Ramírez. Tous médecins, l'une des plus anciennes lignées de Barcelone. Juan junior est marié, père de cinq enfants, catholique pratiquant. Il possède cependant une particularité qui lui vaut d'être considéré comme « l'artiste » de la famille. Il joue du bandonéon, cette espèce de petit accordéon utilisé par les Argentins dans de nombreux airs de tango. Tous les jeudis soir, sa dernière consultation terminée, il quitte son cabinet de la très sélecte et passante Avenida Diagonal pour se rendre dans le Barrio Gótico. Là, au rez-de-chaussée d'un petit immeuble défraîchi, il prend des cours avec un vieux musicien originaire de la ville de Mar del Plata, qui vit à Barcelone depuis des années et qui tente de lui inculquer l'esprit de cet instrument si particulier.

Isabel Ferrer sait tout cela. Elle a surveillé Ramírez un temps. C'est elle qui a pris les photos de son dossier. C'est elle aussi qui a rassemblé les papiers officiels relatifs à ce notable catalan et à sa famille. Quelques coups de fil bien sentis à diverses administrations. C'est fou le nombre d'informations disponibles légalement auxquelles le public peut avoir accès. Il suffit juste de demander. Et de savoir à qui les demander. Si, en plus, vous êtes polie, on vous les envoie dans la foulée par mail.

Une dizaine de jours de surveillance lui ont suffi pour cerner son objectif et mettre au point son plan. Hors de question d'aller à la rencontre du médecin chez lui ou à son cabinet. Trop risqué. Par contre, le croiser après son cours de musique, rien de plus facile. L'option choisie a l'avantage de laisser le temps à Isabel de repartir sans attirer l'attention. Et, avec un peu de chance, comme la ruelle est peu passante, le corps de Ramírez pourrait n'être découvert que quelques heures après sa mort.

Mais elle n'en est pas encore là. La fatigue a eu raison d'elle malgré la tension qui l'habite. Elle sursaute quand la voix dans le haut-parleur annonce l'arrivée imminente en gare de Sants. Elle lâche un long soupir et commence à ranger ses affaires. Son regard se porte un instant sur les journaux qu'elle n'a pas lus. Elle en prend un machinalement, le retourne pour lire les gros titres. Bien sûr, la une est consacrée à l'ANEV, à sa sortie de l'autre jour devant la presse. Sa tête en gros plan sous un titre bien racoleur : *« Isabel Ferrer, celle qui veut tuer la monarchie. »* Rien que ça. Soit ils n'ont rien compris, soit ils sont vraiment pieds et mains liés avec le pouvoir, se dit-elle. Surprenant pour ce quotidien dit de gauche. Moins étonnant quand on sait que son propriétaire fricote avec l'AMP, joue au golf et au tennis avec les principaux ministres du gouvernement et fait des affaires avec des membres éminents du parti. Depuis sa prestation diffusée en boucle par les chaînes info, elle est devenue l'objet de tous les commentaires. Tous veulent l'interviewer, tous veulent négocier une exclusivité. Et certains ont commencé à chercher qui elle est. Elle le sait car son ancien patron à Paris lui a écrit un mail pour lui dire qu'il était harcelé de coups de fil venant d'Espagne. Des journalistes qui voulaient tout savoir sur elle. Bien sûr, il les a envoyés se faire voir. Pour être tranquille, elle a éteint son téléphone portable, qu'elle a laissé à Madrid. Elle en a acheté un autre, à carte prépayée, comme les dealers qu'elle défendait à ses débuts. Seule sa grand-mère, qu'elle a appelée dès la fin de la conférence de presse, a ce numéro. Pour ne pas alarmer ses parents ou le reste de sa famille, elle a envoyé un mail groupé pour expliquer que tout allait bien mais qu'elle allait avoir besoin de couper les communications pendant quelques jours, le temps de faire descendre la pression. Si elle pensait que sa déclaration et la présentation de l'association allaient faire scandale, elle n'imaginait pas que ce serait à ce point. Et trop de bruit pourrait nuire à la bonne marche de sa mission.

Elle a encore trois heures devant elle avant de se retrouver face à Juan Ramírez. Elle en profite pour se promener sur la plage de la Barceloneta, histoire de prendre un bon bol d'air et de se remettre les idées en place. Le vent lui a creusé l'appétit. Elle retourne en centre-ville et se pose dans un bar pour avaler un *pá amb tumaca*, un pain à la tomate, la spécialité locale. Tentée par un verre de vin, elle opte finalement pour une eau pétillante. Elle doit avoir l'esprit vif et être en pleine possession de ses moyens pour tuer le médecin.

La nuit est enfin tombée. Isabel prend la direction du Barrio Gótico. Elle déambule lentement dans le quartier tout en regardant son plan, comme une touriste de plus. La ruelle n'est plus très loin. Elle ralentit encore le pas puis s'arrête net quand elle aperçoit Juan Ramírez, son étui de bandonéon à la main. Pas maintenant. S'en tenir à son plan. Attendre qu'il termine son cours pour que son professeur ne donne pas l'alerte en ne le voyant pas arriver. Encore au moins une heure à patienter. Elle regarde autour d'elle. Peu de monde. Impossible de rester plantée là sans se faire remarquer. Elle décide de retourner sur ses pas vers un endroit plus animé du Gótico. Sur une place arborée, des bancs ont été pris d'assaut par des jeunes qui s'adonnent à leur sport favori, la picole. La mode du *botellón* se transmet de génération en génération. Le but : se mettre la tête à l'envers le plus vite possible. Un phénomène mondial mais, comme les Espagnols ne font rien comme les autres, ils font ça d'une manière un peu particulière, à base d'un cocktail explosif baptisé *calimoxo*. Un mélange dégueulasse de Coca et de vin. Résultat garanti. En deux ou trois verres avalés cul sec, gueule de bois assurée. Ils y ajoutent quelques pétards et la fête peut commencer. Isabel avise un banc libre et en prend possession. Elle observe le manège des ados avec une pointe de nostalgie, se remémorant ses vacances d'été en Espagne, au cours desquelles au même âge, alors que ses parents la confiaient pour six semaines à ses grands-parents, elle s'adonnait à cette même activité en compagnie de ses cousins et de leur bande d'amis.

Un coup de klaxon la sort de sa rêverie. Voilà, c'est le moment. Elle repart d'un pas rapide cette fois vers son troisième rendez-vous avec la mort. Un coup d'œil à gauche, un autre à droite. Personne. Elle est seule dans la petite rue faiblement éclairée. Elle sort son arme, visse le silencieux sur le canon, déverrouille la sécurité et la remet dans son sac à main, qu'elle laisse ouvert. Elle a pris soin auparavant d'attacher ses longs cheveux pour ne pas être gênée. Une porte s'ouvre dans son dos. Ramírez. Elle se retourne, avance lentement dans sa direction, s'assure que le vieux prof est rentré chez lui. Trente mètres. Son cœur commence à s'emballer. Elle respire à fond. Quinze mètres. Elle plonge la main dans son sac. Cinq mètres. Lui ne se doute de rien. Elle empoigne son P38. Deux mètres. Sa respiration est de plus en plus saccadée. Elle sort le flingue à l'instant même où elle croise le médecin. Il n'a pas le temps de comprendre ce qui lui arrive. Elle appuie une fois sur la détente. Un bruit sourd. Juan Ramírez s'écroule sur le trottoir. Isabel ne s'est même pas arrêtée. Elle continue à marcher comme si de rien n'était. Au coin de la rue, elle s'immobilise et s'assure qu'elle a réussi son coup. Le corps inerte du bon docteur joueur de bandonéon repose, face contre terre, près d'un caniveau et d'une poubelle. À sa place. À côté des ordures.

Il est trop tard pour repartir à Madrid. L'avocate décide de se rendre dans la petite pension qu'elle a réservée. Avant d'arriver, elle envoie un SMS à sa grand-mère. Un message très court, composé d'un unique chiffre : 3.

5

Deux heures du matin passées de quelques minutes. Diego sort du studio la clope au bec. L'émission de la semaine, consacrée à la mort de l'élu AMP le soir des élections, a été un succès. Demain, les audiences le confirmeront, il n'en doute pas une seconde. Le standard de Radio Uno a littéralement explosé. Record d'appels battu. La diffusion de l'entretien avec la mère de la victime a fait son petit effet, même si son enquête n'a pas vraiment fait avancer l'affaire. Malgré l'aide d'Ana, pourtant la meilleure détective en activité à Madrid, il n'a rien trouvé. Pas de témoin. Pas d'indice. Juste un homme abattu d'une balle dans la nuque en pleine capitale. Et surtout, aucune revendication. Bizarre. Vraiment bizarre. Pas de logique dans ce geste. Pour le moment. Il demeure circonspect. Crime crapuleux ? Politique ? Il va lui falloir encore enquêter. Il ne lâchera pas tant qu'il n'aura pas des réponses à ses questions. En attendant, il a d'autres urgences sur le feu.

Il savait surtout que le contexte allait jouer en sa faveur. En plein scandale mettant à mal la mémoire collective du pays et le gouvernement, parler en direct sur une station nationale d'un député assassiné, dont la famille était proche de Franco, lui assurait un confortable matelas d'auditeurs. Et ça n'a pas manqué. Des centaines d'entre eux ont profité de l'antenne ouverte pour ne parler que d'une chose : les bébés volés. Parmi la multitude de témoignages, les classiques tarés complotistes taxant l'Association nationale des enfants volés de secte gauchiste, les soutiens inconditionnels au parti au pouvoir, mais aussi des gens ordinaires racontant des histoires entendues dans leur famille, des anecdotes vécues au cours de cette sinistre période et qui prennent une autre signification aujourd'hui. Et ceux, plus rares, qui demandaient au journaliste de se mettre au plus vite sur ce dossier, de leur raconter la vérité. Il a fallu faire le tri, comme d'habitude. Le nombre d'appels était si élevé que Diego a dû chambouler son conducteur d'émission. Pas de pause musicale, pas de chronique de livre. Seul le procureur X a eu le droit à ses trois minutes, avec une histoire d'agression sexuelle mettant en cause un conseiller municipal de gauche. Le programme s'est vite transformé en tribune pour les uns et les autres. Le sujet est bouillant. Et ils sont nombreux ceux qui risquent de se brûler.

Seul dans le couloir qui mène à son bureau, il s'arrête devant la machine à café, fouille dans ses poches, en sort plusieurs pièces qu'il glisse dans la fente du distributeur. Expresso serré. Et dégueulasse. Il le coupera avec quelques gouttes d'un rhum qu'il a ramené du Venezuela dont une bouteille est planquée dans un tiroir. Souvenir d'un récent reportage auprès d'une grande plantation qui a la particularité de n'embaucher que d'anciens membres de gangs. Une manière originale de les sortir de la rue, en leur faisant couper de la canne à sucre une partie de la journée et en les faisant jouer au rugby le reste du temps. Un sujet positif pour une fois.

Cette nuit, il en est loin. Grisé par l'intensité du direct, il n'a pas envie de rentrer chez lui. Après tout, personne ne l'attend. Et cette histoire de bébés volés n'en finit pas de lui trotter dans la tête. Il pousse la porte de son bureau, allume une petite lampe, s'installe devant son Mac, y branche un lecteur de CD externe et lance l'enregistrement de l'émission qu'il vient d'animer. Pas pour s'entendre, il n'a pas un ego démesuré à ce point, mais pour isoler les témoignages d'auditeurs qui pourraient s'avérer intéressants. Ceux qui évoquaient, non pas forcément des vols d'enfants, mais des situations bizarres, des rencontres, des échanges d'enveloppes, avec des détails si nombreux et précis qu'ils paraissent difficilement avoir été inventés. Dans le lot, il se dit qu'il en tirera peut-être quelque chose. Et si quelqu'un mérite qu'on creuse un peu plus, rien de plus facile. Avant de passer à l'antenne, c'est la règle, chaque identité est vérifiée et chaque numéro de téléphone est répertorié.

Après une nuit blanche, casque sur la tête, à griffonner des notes, les oreilles en feu, la bouche pâteuse à cause du mélange cafés-rhum-clopes, il décide de rentrer chez lui, histoire de prendre une bonne douche et dormir quelques heures pour se reposer les neurones. Son rendez-vous avec le juge Ponce est prévu pour ce soir et il est curieux de savoir pourquoi il lui a demandé de venir le voir près de son bureau. Il ne peut s'empêcher de jeter un dernier coup d'œil sur Internet et sur les ultimes nouvelles. Une dépêche urgente vient de tomber, puis une seconde. De deux agences différentes, EFE et AFP. Une phrase, presque identique, laconique, courte, en attendant d'autres informations : *« Pedro de la Vega, notaire réputé, a été assassiné. »*

Un prochain sujet d'émission à coup sûr. Long soupir. Un message à Ana pour lui annoncer la nouvelle et lui demander de lui donner le dossier qu'elle a monté sur lui. Drôle de coïncidence tout de même, se dit-il. Mais il est trop fatigué pour réfléchir sereinement. Le jour vient de se lever quand Diego ferme la porte de son bureau. Dans le bâtiment de Radio Uno, la ruche se réveille. Les matinaliers, présents depuis le milieu de la nuit pour préparer leurs journaux, sont entrés en studio pour le *prime time* radiophonique, les équipes de la mi-journée arrivent au pas de course, déjà stressées, à l'affût de la moindre info qu'il faudra lancer très vite à l'antenne. Une odeur, mélange d'eau de toilette, de croissants chauds et de café, le prend à la gorge. Un haut-le-cœur le saisit. Besoin d'air. Ce n'est qu'une fois dehors, au pied du grand bâtiment, que Diego recouvre ses esprits. Une immense fatigue l'envahit. Il hèle un taxi. Il aurait pu partir en métro, comme il a l'habitude de le faire dans cette ville où les transports en commun, souvent chaotiques, sont tout de même en service vingt-quatre heures sur vingt-quatre. Mais ses jambes supportent à peine le poids de son corps.

Arrivé chez lui, il n'a même pas le courage de retirer ses chaussures. Il s'effondre sur son canapé et sombre dans un sommeil à la fois profond et agité. Depuis la mort de sa femme, il dort mal, souffre d'apnées du sommeil qui font qu'il ne se repose jamais vraiment. Ce qui explique les cernes sous ses yeux et son air un peu endormi, même en pleine journée. La chaleur d'un rayon de soleil sur son visage, sur lequel pousse une barbe de plusieurs jours, drue, noire et parsemée d'éclairs gris, le réveille en sursaut au milieu de l'après-midi. La bouche en carton-pâte et les yeux encore embrumés, il s'empare de son téléphone portable. Écran noir. Batterie déchargée. Quand il le branche, les bips n'arrêtent pas. Une dizaine d'appels en absence et autant de SMS d'Ana, qui lui demande de la rappeler, avec humour au départ puis de manière de plus en plus insistante, presque énervée de ne pas avoir de retour. Le dernier date d'à peine dix minutes. *« Retrouve-moi chez* Casa Pepe*, j'arrive dans vingt minutes »*, lui répond-il sans autre forme d'explication sur son silence.

Quand il déboule dans leur bar habituel, *Casa Pepe*, les cheveux encore mouillés par sa douche express, Ana est installée au comptoir avec sa tête des mauvais jours.

— T'étais passé où, *coño* ? Je commençais à m'inquiéter, j'ai même failli débarquer chez toi !

— Ben, t'aurais pu, t'as les clés. Tu m'aurais trouvé là, éclaté, sur mon canapé en train de ronfler. J'ai pas dormi de la nuit et j'ai eu un petit coup de pompe. Mon téléphone était déchargé en plus. Bon, t'as vu que ton de la Vega s'est fait descendre. Ça vaut le coup qu'on se penche dessus, j'imagine ?

— Tu crois pas si bien dire, lui réplique-t-elle en fouillant dans son sac pour en sortir une pochette épaisse. Tiens, d'abord, voilà une copie du dossier que j'ai remis à l'avocate. Elle semble avoir disparu de la circulation celle-là. Personne ne l'a vue depuis sa conférence de presse. Mais je ne désespère pas de la localiser. Il va bien falloir qu'elle se montre de nouveau.

— Elle fait chier. Attendons de voir quand elle va sortir du bois et avec quelles armes. Qu'est-ce que tu peux me dire sur le notaire sinon ?

— Tu liras le dossier tranquillement, mais il y a un truc qui me chiffonne. Un contact à la morgue m'a confirmé que la mort remonte à plusieurs jours, presque une semaine. Or, la famille n'a fait l'annonce qu'hier soir. Je me demande bien pourquoi ils ont gardé ça pour eux au départ. J'ai l'impression qu'il fallait mettre de l'ordre dans les affaires du Vieux avant de rendre publique sa mort.

— Il était proche de l'AMP, il devait avoir des dossiers sur chaque membre du gouvernement, tu crois pas ?

— Et sur plus de gens encore, tu peux même pas t'imaginer. Tu verras ça dans mon compte rendu, tu vas flipper. Et on en recause. Tu as moyen de faire une chouette émission comme tu les aimes avec lui, un peu comme hier si tu vois ce que je veux dire. T'as fait fort, c'était bien.

— Ouais, merci. Après, moi, j'ai rien fait d'extraordinaire à part insister pour avoir la mère en interview. L'histoire en elle-même est suffisamment intriguante. Et puis les auditeurs se sont lâchés avec les bébés volés. J'ai l'impression qu'on est loin d'en avoir terminé avec ce scandale. On en a pour des mois. Tant mieux, on va pouvoir prendre le temps d'y plonger en profondeur, ça me titille vraiment beaucoup.

— Tu m'étonnes. Bon, je file, j'ai un métier, moi, monsieur. Je parle pas dans un micro la nuit. J'ai des clients qui attendent des réponses concrètes à leurs questions.

— C'est ça, moi c'est bien connu, je fous rien à part raconter des conneries à la radio.

Un éclat de rire, deux bises et deux cafés plus tard, Diego décide de se rendre à pied à son rendez-vous avec le juge Ponce. Il a le temps. Il aime bien déambuler ainsi dans la capitale, éviter les grandes artères, passer dans les ruelles encore typiques, du moins ce qu'il en reste, à son rythme, les mains dans les poches, le cerveau en action. C'est ainsi que lui viennent ses meilleures idées, qu'il note ensuite dans un petit Moleskine noir dont il ne se sépare jamais, toujours dans la poche, avec un stylo Montblanc, cadeau de Carolina alors qu'ils n'étaient pas encore mariés, qu'il garde comme une relique aujourd'hui.

Un peu en avance, il s'assoit sur les marches du Palais de justice qui abrite les locaux de l'Audience nationale, la plus haute instance judiciaire du pays, pour fumer une cigarette et s'amuse à inventer les vies de ceux qui entrent ou qui sortent de cet endroit emblématique. Des avocats, des juges, des flics, des convoqués, des mis en examen, des témoins, des victimes. La scène de théâtre où se joue tout ce qui se fait de pire, du politique véreux au terroriste basque, en passant par le pédophile, le fraudeur ou le mari violent. Puis il pénètre dans le café qui fait face au grand bâtiment, repère une table tranquille au fond, sort son Nagra et son micro et commande une bière. Il sent les regards posés sur lui depuis qu'il a franchi la porte, les murmures, les messes basses incessantes depuis qu'il a déballé son matériel d'enregistrement. Ici, dans cette annexe officieuse du tribunal, tout le monde sait qui il est. Il n'est pas forcément en terrain ennemi, même s'il n'a pas que des amis dans le monde policier et judiciaire, et il vient rarement se jeter dans la gueule du loup comme ça. Il se dit que David Ponce a souhaité qu'on les voie ensemble, dans cet endroit. Sans doute pour se couvrir. Mais de quoi ? L'excuse d'une déclaration officielle à un journaliste pour donner la position de son syndicat sur le scandale des bébés volés est une bonne couverture. Diego connaît suffisamment le juge pour savoir qu'il va, d'une manière ou d'une autre, lui faire passer un message. Ce qu'il ne sait pas, c'est si celui-ci concerne ce dossier délicat ou une autre affaire.

Salutations d'usage, poignée de main ferme, sourires de circonstance. Ne pas montrer qu'ils sont trop proches. Leur amitié est forte mais discrète. Après quelques minutes de discussion anodine, le temps d'avaler quelques gorgées de bière, ils entrent dans le vif du sujet. Diego attrape son micro et appuie sur la touche enregistrement.

— Juge Ponce, vous êtes président de l'ASM, le second syndicat le plus important de votre profession. Que pouvez-vous nous dire après l'annonce de la création de l'Association nationale des enfants volés, vous qui représentez une organisation de tendance progressiste ?

— En tant que magistrats, professionnels du droit et de la justice, nous ne sommes qu'à moitié surpris. Des rumeurs plus ou moins fondées existent depuis longtemps sur un trafic d'enfants. Et nous savons bien les exactions commises par les franquistes durant la guerre civile et après, quand ils étaient au pouvoir. Mais là, les accusations sont si graves que nous demandons de manière très officielle qu'une enquête soit ouverte. Nous comprenons et approuvons la demande formulée par cette nouvelle association. Il est peut-être temps que ce pays ouvre enfin les yeux sur son histoire récente, si douloureuse soit-elle. La loi d'amnistie, votée à une époque où il fallait reconstruire et refermer les blessures, ne peut pas tout excuser. Nous allons aussi réfléchir et consulter plusieurs élus de gauche pour savoir quelles seraient les chances de voir aboutir une proposition de loi abolissant ce texte inique. Il s'agit de mettre un terme à près de quarante ans d'impunité.

Simple. Court. Efficace. Et sans surprise. David a récité son laïus avec conviction, comme il sait si bien le faire. Puis il est parti assez vite, prétextant du travail et un dossier urgent à terminer pour le lendemain. En se levant pour prendre congé, il a sorti son paquet de cigarettes et son briquet de sa veste, puis il a serré la main de Diego et a filé.

Le journaliste a tout de suite senti le petit bout de papier. Il a serré le poing, s'est rassis en tentant de ne pas montrer trop d'excitation. Impatient. Il a terminé son verre, a glissé la main dans sa poche pour sortir son argent et y glisser le précieux message. Ce n'est qu'une fois dans le métro, après s'être assuré que personne ne l'avait suivi, qu'il découvre son contenu. Un grand sourire barre encore son visage alors qu'il compose le code de la porte de son immeuble.

* * *

Dans le local de l'Association nationale des enfants volés règne une effervescence qui frise le chaos. Depuis la sortie médiatique d'Isabel, le téléphone n'arrête pas de sonner. Le site internet, mis en ligne le soir même de la conférence de presse, est tombé plusieurs fois. Victime du trop grand nombre de connexions simultanées. Victime aussi, au cours de la nuit dernière, d'une attaque informatique non revendiquée mais qui porte la marque de l'extrême droite. Sur la page d'accueil, en lieu et place des rubriques et du texte de présentation, une immense photo en noir et blanc de Franco s'affichait, sur laquelle avait été grossièrement apposé un slogan, plutôt une insulte, qui ne laisse planer aucun doute sur les donneurs d'ordres des hackers : *« ¡Viva Franco, cabrones ! »* (« Vive Franco, connards ! »). Les informaticiens bénévoles de l'ANEV ont réussi à retirer le message et l'image, mais n'ont pas encore pu rétablir l'intégralité du site. Des heures qu'ils y travaillent.

Il faut dire qu'ils ne sont pas dans les meilleures conditions. Le siège de l'ANEV est petit, bien trop petit. Relégués au fond de la salle où a eu lieu la conférence de presse de présentation du mouvement, ils se sont installés comme ils ont pu. Un amas de câbles, d'écrans, de multiprises, de disques durs posés sur deux petites tables et quelques chaises bancales, qui menacent de s'écrouler à tout moment sous le poids du matériel. Certains sont assis par terre et pianotent fébrilement des dizaines, des centaines de lignes de codes sur leur ordinateur. L'un d'entre eux est chargé de mettre un peu d'ordre, surtout de vérifier que personne ne marche ou ne trébuche sur un fil, ce qui aurait pour conséquence de débrancher toute l'équipe qui, pour prévenir ce genre d'incident, perd un temps fou à faire des sauvegardes toutes les dix minutes. Le brouhaha continu est parfois interrompu par le cri de victoire d'un membre de l'équipe informatique quand il parvient à récupérer quelques pages du site. Petit à petit, le site officiel de l'ANEV reprend vie, rubrique après rubrique, article après article. Une attaque virtuelle vicieuse, qui les oblige à tout reprendre à zéro, à vérifier le moindre recoin de la vitrine en ligne de l'association.

Dans l'autre pièce, plus petite, s'entassent d'autres bénévoles. Ils s'appellent María, Ima, Daniel, Pablo, Josefa, Elvira. Ils sont les premiers adhérents de l'ANEV. Certains se connaissaient avant, d'autres se sont rencontrés il y a quelques semaines à peine. Tous ont un point commun : ils recherchent un proche, un enfant, un frère, un cousin, disparu sans laisser de traces. Tous pensent qu'ils sont en vie, que les personnes dont ils sont sans nouvelles depuis tant d'années sont là, quelque part en Espagne, vivant sous une autre identité, ne sachant même pas que leurs vraies familles les recherchent. Ne sachant pas non plus qu'ils ont été les victimes innocentes d'un système inhumain, inique, mis en place par Franco et ses sbires. Ils ont la trentaine, la quarantaine…, jusqu'à soixante-sept ans pour la plus âgée. Plusieurs générations, la preuve que l'appareil franquiste a continué de fonctionner bien après la mort du Caudillo. Ils pensaient bien que leur action allait avoir des conséquences. Ils espèrent qu'elle va changer leur vie. Ils se doutaient que ça allait être dur. Mais là, aujourd'hui, ils sont submergés. Par des gens comme eux, qui cherchent des réponses. Des gens ordinaires, à qui il est arrivé quelque chose d'extraordinaire. Par la presse aussi. Les journalistes les harcèlent, campent devant le siège de l'ANEV. Tous ne veulent qu'une chose : dégoter l'interview exclusive d'Isabel Ferrer. Et certains sont prêts à payer très cher le scoop. Des chiffres faramineux, qui permettraient, pensent certains, de ne plus se soucier de l'avenir financier de l'association et d'entamer des recherches poussées pour découvrir la vérité. Mais, depuis trois jours, l'avocate a disparu des radars. Et la situation commence à les inquiéter, les médias se font de plus en plus insistants, voire agressifs pour beaucoup. Très agressifs même. C'est toujours le cas dans ce genre de situation. Des journaux, des télés, des sites, des radios, à la botte de l'AMP, autant dire une bonne partie du paysage médiatique du pays, ont lancé une véritable campagne anti-ANEV, faisant d'Isabel tour à tour une traîtresse, une illuminée, une étrangère qui vient se mêler de ce qui ne la regarde pas, une rouge (encore), une espionne à la solde soit de Cuba, soit de la Russie, soit de la Chine, chargée de déstabiliser l'Espagne. Tout y passe. Et le fait qu'elle ne parle pas, qu'elle ne réponde pas aux attaques ne fait que les amplifier. Et déstabilise les membres de l'ANEV, pas habitués à traiter avec les médias.

Une jeune femme blonde, lunettes de soleil sur le nez, vient d'arriver. Personne ne semble l'avoir remarquée quand elle a poussé la porte de l'ANEV. Sans dire un mot, elle accroche délicatement son sac à main sur le dossier d'une chaise, pose sa housse d'ordinateur portable sur une table, en ayant pris soin de pousser un disque dur sur le côté, souriant à l'un des informaticiens, qui la regarde incrédule. Puis, elle retire ses lunettes noires et sa perruque blonde, provoquant un silence immédiat. Tous cessent de parler. Tous les regards sont braqués vers elle. Juste quelques secondes. Comme si le temps venait de s'arrêter. Elle défait son chignon et laisse retomber ses longs cheveux noirs sur ses épaules. Isabel lance un timide « bonjour », sourit, soupire et, avant qu'elle n'ait eu le temps de demander comment se sont passés ces trois derniers jours, les adhérents et bénévoles présents se mettent à l'applaudir. Cris de joie, embrassades. Tous veulent l'approcher, la serrer dans leurs bras, lui dire juste « merci », prendre des nouvelles. Surprise, elle reste au centre de la pièce pendant un long moment, avant de pouvoir enfin recouvrer ses esprits.

— Allez, au boulot, nous ne sommes qu'au début d'une très longue bataille, parvient-elle à articuler assez fort pour que tout le monde l'entende.

Comme par magie, la ruche se remet au travail. Et Isabel peut enfin respirer un peu. Elle doit faire un point avec les fondateurs de l'ANEV. Voir comment ils gèrent la situation. Et, surtout, leur exposer la suite de sa stratégie. Elle veut frapper un grand coup. Encore plus fort que lors de la conférence de presse. Cette fois, ce ne seront plus des paroles en l'air. Elle exhibera des preuves. Pas toutes, non, bien sûr. Elle en gardera sous le coude. Mais les premiers documents qu'elle compte rendre publics vont faire mal. Très mal.

Elle n'a pas encore traversé la pièce pour se réunir avec les membres du bureau de l'association qu'un attroupement se forme devant la porte d'entrée. Le ton monte. On est proche de la bousculade et des coups échangés. Isabel s'avance. Au centre d'un petit groupe se tient une femme, grande, imposante, qui impressionne par son calme tandis que tous s'énervent.

— Je vous dis que je veux juste parler à Isabel Ferrer. Et arrêtez de me pousser ! Je ne suis pas journaliste, bordel ! Je sais qu'elle est là, me dites pas le contraire. Alors, allez lui demander et dites-lui juste que…

— C'est bon, laissez-la passer, je m'en occupe, lance Isabel d'une voix suffisamment ferme pour calmer tout le monde.

Sous le regard inquiet et interrogateur de l'assistance, les deux femmes se saluent puis se trouvent un coin à l'écart pour pouvoir parler à l'abri des oreilles indiscrètes.

— Eh bien, toi, le moins que l'on puisse dire, c'est que tu n'es pas facile à contacter ces temps-ci… Je t'ai laissé au moins vingt messages, commence Ana. La détective est tout sourire, ravie de pouvoir enfin parler à Isabel.

— Qu'est-ce qui t'amène ?

— Il faut qu'on parle…

6

Trop. Vraiment trop. Trop d'événements bizarres. Trop de morts. Trop d'éditions spéciales. Trop de boules puantes en même temps. Trop de coïncidences. Trop de questions sans réponses. Diego a souvent travaillé sur des affaires compliquées à l'étranger, souvent côtoyé le danger de près, de très près, jusqu'à perdre la femme qu'il aimait. Alors, il se sent d'attaque pour se lancer dans l'affaire des bébés volés. Comme il se doit. Sans manipulation politique. En vérifiant chaque fait. Chaque témoignage. Chaque document. En prenant le temps qu'il faudra pour aller au bout de cette histoire. Peu importent les conséquences.

Il s'en fout des conséquences. Depuis que Carolina n'est plus là, il ne vit – ne survit plutôt – que grâce au travail. Sans le maintien d'« Ondes confidentielles » à l'antenne, il ne sait pas où il serait à l'heure qu'il est. Il a sombré dans une profonde dépression après l'assassinat de sa compagne. Jusqu'à imaginer de commettre l'irréparable. Plus d'une fois, il a tenté d'avaler une boîte de comprimés, mais il a arrêté son geste au dernier moment. Il semblait aller mieux, puis il est retombé dedans juste avant les élections. Ce gouvernement ne le sait pas, et ne le saura jamais, mais il lui a sûrement sauvé la vie en lui laissant ses deux heures d'émission hebdomadaire. Et lui va sûrement tout foutre en l'air avec son enquête. Il le sent. Surtout depuis qu'il a lu le petit mot glissé discrètement dans sa main par le juge Ponce lors de leur rendez-vous. Quelques mots seulement. Mais de ceux qui lui font dire qu'il va bientôt avoir du bon biscuit à se mettre sous la dent. Et qui lui redonnent un peu d'entrain et l'envie de repartir sur de nouvelles bases.

« I. Ferrer veut me voir dans 48 h pour me donner docs sur bébés volés. »

Voilà ce qui était écrit sur le bout de papier que le juge lui a passé. Une véritable bombe à retardement. Maligne, l'avocate. Et bien renseignée. Elle a contacté le seul magistrat qui aura les *cojones* d'y aller. Ce qui n'est pas pour déplaire à Diego. Ponce étant sa source numéro un au sein de l'appareil judiciaire, il va se retrouver aux premières loges. Mais il va falloir être prudent pour ne pas le griller et lui causer plus d'ennuis qu'il ne risque d'en avoir s'il décide d'ouvrir officiellement une enquête.

Il en est capable. Malgré les pressions qui ne manqueront pas de s'exercer de toutes parts. Si le pouvoir croit qu'il va parvenir à l'amadouer, il se fourre le doigt dans l'œil. À l'époque des socialistes (Diego y songe comme s'il s'agissait d'un temps lointain alors qu'il n'y a que neuf mois que les fachos sont arrivés à la tête de l'État), le juge Ponce les avait envoyés promener et avait signé un mandat d'arrêt international contre Fidel Castro pour trafic de drogues, blanchiment et… crimes contre l'humanité. Un beau bordel diplomatique qui a duré des mois et des mois. Dont le cacique cubain s'est très bien sorti, grâce à son état de santé précaire et à l'intervention de ses médecins, qui ont expliqué, analyses et rapports sûrement bidon à l'appui, que le bonhomme était sénile, perdait la mémoire et ne pouvait par conséquent en aucun cas être interrogé par un juge. La preuve ? Il a démissionné et passé la main à son frère Raúl. Mouais…

Dès qu'il a décidé d'en faire sa priorité, c'est-à-dire à la seconde même où il a lu le message de Ponce, Diego s'est mis en mode chasseur. D'informations. De témoins. De preuves. De temps aussi. Il a fait savoir à la radio qu'il était souffrant et qu'il ne pourrait pas assurer le direct cette semaine. Après quelques minutes de discussion avec le directeur des programmes, il est décidé de diffuser les meilleurs moments de l'émission de la saison. Un monteur a été réquisitionné et Diego lui a déjà envoyé les passages qui lui semblaient les plus intéressants pour ce genre d'exercice. Quelques jours de gagnés, qu'il va consacrer entièrement à l'affaire des bébés volés. Sans plus attendre.

Cela fait maintenant des heures qu'il n'a pas quitté la plus grande bibliothèque de Madrid. Il est arrivé dès l'ouverture et, depuis, il est plongé dans des livres d'histoire. Ceux sur la guerre civile, d'autres sur la vie quotidienne sous Franco, des bouquins d'analyse du régime et de théorie politique aussi, de philosophie même. Il lui faut avoir le contexte bien en tête. Avant de se plonger dans les archives des journaux de l'époque. Mais pour le moment, il a besoin d'une remise à niveau, lui qui n'a pas réellement connu le franquisme, ou du moins qui n'en a pas vraiment de souvenir. Né en 1970, il était tout gamin quand le Caudillo est mort.

Le problème de ce genre de bâtiment public dédié au travail des chercheurs et des étudiants, c'est qu'on ne peut pas y fumer. Et que s'il veut sortir en griller une, il lui faut rendre tous les livres avant de les emprunter de nouveau après sa pause clope. Une belle logique administrative… Du coup, il n'a pas fumé depuis plus de quatre heures. Il ne tient plus et décide de s'accorder une cigarette en marchant un peu, histoire de se dégourdir les jambes et le cerveau. Et de vérifier ses mails et ses appels car, bien sûr, il n'y a pas de réseau à l'intérieur. Comme si les technologies modernes allaient déranger des livres qui prennent la poussière depuis des dizaines d'années.

Une fois dehors, il cherche un bar ouvert. En vain, malgré l'heure du déjeuner qui approche. Un café lui ferait pourtant le plus grand bien. Mais dans ce quartier de Madrid, comme dans bien d'autres de la capitale et des grandes villes du pays, il devient parfois compliqué de s'accouder à un comptoir. La crise a tout emporté sur son passage. Certains coins sont laissés totalement à l'abandon. Il y a même des villes fantômes, montées de toutes pièces par des entrepreneurs du bâtiment complètement allumés. L'Espagne, peut-être plus que tout autre pays d'Europe, est tombée de très haut. Elle a littéralement sombré. Celle qu'on montrait en exemple il y a encore quelque temps s'est écroulée comme un château de cartes. La faute à la mondialisation, disent les politiques. Foutage de gueule. La faute à une économie qui ne reposait que sur du vent surtout. Sur un secteur immobilier à la bonne santé artificielle. Achetez, achetez qu'ils disaient à tous ces gens qui, il faut les comprendre, sortis de quarante-cinq ans de dictature et de privations, se sont rués comme des morts de faim chez les constructeurs et dans les banques. Les chacals ont flairé la bonne affaire. Et ont distribué les crédits comme des chorizos. Vingt, trente, quarante et jusqu'à cinquante ans d'endettement. Venez, venez, pas de problème, voilà l'argent. Remboursez toute votre vie. Et si vous n'avez pas fini, ce n'est pas grave, vos enfants prendront la relève. Conclusion, quand la bulle a explosé, quand les expulsions ont commencé, les fiers propriétaires ibères ont été obligés de retourner vivre chez leurs parents. Quand on a quarante ou cinquante ans passés, ça fait mal. Car, en plus de se faire virer de chez eux, beaucoup se sont retrouvés au chômage. Les usines qui ferment. Les petits commerces qui baissent le rideau. Les surdiplômés qui acceptent n'importe quel petit emploi mal payé, des millions de chômeurs qui continuent, jour après jour, de faire la queue devant le Pôle emploi local, devant les caisses d'allocations familiales, devant les associations caritatives, devant les soupes populaires même. Plus de toit et plus de boulot. Elle est belle l'Espagne des Jeux olympiques, la moderne et jeune démocratie qui a su se relever à la vitesse de l'éclair. Il y en a bien qui s'en offusquent, mais la plupart sont tellement dans la merde qu'ils ne pensent pas à trouver des coupables à leur malheur. Ils pensent juste à avoir de quoi bouffer à la fin, non pas du mois, ni de la semaine, mais de la journée. Retour vers le passé en somme. Retour à un état de pays sous-développé. Et ils finissent par voter massivement pour l'AMP, au lieu de descendre dans la rue pour tout casser.

Les pensées de Diego s'emballent alors qu'il cherche toujours un endroit où s'acheter sa dose de caféine. Finalement, après dix minutes à tourner dans le quartier de la bibliothèque et à pester, il avise enfin une boutique à la devanture verte et blanche. Il va devoir se contenter d'un gobelet en carton de chez Starbuck's et d'un breuvage au goût de café imaginaire qu'il va payer plus de cinq euros. Enfin, c'est mieux que rien. Une fois la première gorgée avalée, il se décide enfin à jeter un œil à son téléphone. Les mails s'affichent, la plupart vont directement à la corbeille (invitations à des soirées sponsorisées par toutes sortes de marques d'alcools, de téléphones, des communiqués de presse annonçant la parution des prochains chefs-d'œuvre de la littérature, sans oublier les spams lui annonçant qu'il est l'heureux gagnant d'un million de dollars à la loterie gabonaise). Et un mail d'Ana. Celui-là, il s'empresse de le lire. Une bonne nouvelle, enfin. La détective lui annonce qu'elle a réussi à parler à Isabel Ferrer. L'avocate se dit prête à lui accorder sa première interview, en exclusivité. À une condition : qu'il fasse une émission spéciale sur les bébés volés.

Elle est disposée à l'aider en lui faisant rencontrer une personne, dont elle n'a pas voulu dévoiler le nom, pour un témoignage aussi poignant que glaçant, dit-elle. Elle veut aussi répondre aux attaques dont elle est la cible, se défendre et expliquer pourquoi elle s'est lancée dans ce combat. Elle lui assure qu'elle n'accordera pas d'interview à un autre journaliste, qu'il sera le seul, qu'il aura son scoop car elle a beaucoup de respect pour son travail. Elle est d'accord pour le rencontrer, mais pas avant un ou deux jours car, il s'en doute, elle est débordée et elle a pas mal de choses à régler. Voilà en substance ce que lui raconte Ana dans son mail.

Diego jette son restant de café dans une poubelle et presse le pas. Retour à la bibliothèque. Il a encore beaucoup de choses à lire et moins de temps qu'il ne pensait pour les digérer. Si l'avocate tient parole, et il n'a pas de raisons de penser qu'elle ne le fera pas, il va falloir accélérer la cadence. Même si cela va un peu à l'encontre du timing qu'il voulait mettre en place, une telle opportunité ne se refuse pas. Il imagine déjà la bande-annonce de l'émission. Et les audiences qui vont suivre. Un beau coup pour lui, et pour Radio Uno qui, malgré son statut de service public et ses dirigeants qui n'osent pas mordre la main de ceux qui les font manger, à savoir les ministres et les élus de l'AMP, ne va pas pouvoir passer à côté d'un truc pareil. Reste à savoir quand l'avocate va se rendre disponible. Et ce qu'elle va bien vouloir lui donner.

* * *

Après la discussion qu'Isabel a eue avec Ana, les questions ont fusé. Les membres du bureau de l'ANEV étaient anxieux de savoir qui était cette femme venue la voir, ce qu'elle lui voulait, ce qu'elle lui avait dit. L'avocate les a rassurés, leur expliquant qu'elle était détective privée, qu'elle la connaissait, qu'elle avait confiance en elle et qu'elle pourrait leur être d'une grande aide dans les semaines à venir. Ce qu'Ana n'a pas écrit dans son mail à Diego, c'est qu'elle a effectivement proposé ses services à Isabel, évidemment gratuitement. Sa manière à elle de s'engager dans leur combat. La porte-parole de l'association sait à quel point elle est sérieuse et efficace dans son travail. Le rapport qu'elle lui a préparé sur de la Vega était impressionnant de précisions, de détails et d'informations qu'elle a récupérés Dieu sait comment. Sans le savoir au moment où elle l'avait engagée sur ce dossier sensible, Isabel s'est trouvé avec Ana Durán une alliée de poids. Et elle compte bien s'en servir.

Cerise sur le gâteau, ce qu'elle ne savait pas, c'est qu'Ana est une amie proche de Diego Martín.

Elle lui a donc fait passer le mot. Après y avoir longuement réfléchi, elle se dit qu'il est bien le seul journaliste à qui elle pourra parler. Et puis, l'approcher, c'est aussi une possibilité d'en savoir plus sur lui et sur les informations qu'il pourrait avoir sur le meurtre de l'élu AMP le soir des élections. Rassurée par l'émission de l'autre soir qui, à part le témoignage de la mère, n'a pas fait avancer l'enquête, Isabel continue pourtant de se méfier. Mieux vaut avoir ce journaliste de son côté. S'il n'y en a qu'un à avoir d'ailleurs, c'est bien lui, pense-t-elle.

Une longue journée de travail s'achève. Isabel n'a pas quitté le siège de l'ANEV depuis le matin. Il a fallu parler beaucoup, expliquer aux bénévoles ce qu'ils devaient faire, mettre au point une organisation pour tenter de ne pas être trop submergés par les demandes de victimes potentielles qui ne cessent de contacter l'association, classer les appels, les courriers qui affluent, discuter avec beaucoup de monde présent, apprendre en quelques heures à des bénévoles à répondre aux médias en peaufinant un discours dont ils ne doivent pas s'écarter d'un iota. Et, enfin, faire ce pour quoi elle a accepté le défi, se pencher sur les premiers dossiers sérieux, les premiers cas de bébés volés. Lire les documents récupérés, les trier, les vérifier. Le tout dans une ambiance survoltée. Il va falloir rapidement songer à changer de local, trouver un endroit plus grand.

La nuit est tombée maintenant et le calme est revenu. Moins de monde. La fatigue. Moins de bruit. La plupart des bénévoles sont rentrés chez eux, la tête pleine d'espoir. Pleine de doutes aussi. Harassée, Isabel décide de plier bagage. Elle passe la tête pour saluer les deux informaticiens qui sont encore rivés à leurs écrans. Ils ont bien avancé et le site de l'association a pu retrouver toutes ses fonctionnalités – ou presque. Reste encore quelques détails à régler, mais il fonctionne de nouveau correctement. La question est de savoir jusqu'à quand. Les pirates à la solde de l'extrême droite vont sans doute tenter une nouvelle cyberattaque d'ici peu. Mais des pare-feux ont été installés. En espérant qu'ils tiendront la route cette fois. Avant de partir, elle noue ses cheveux et remet sa perruque blonde. Même si elle va sortir par le sous-sol du bâtiment et qu'il est déjà tard, elle préfère prendre toutes les précautions pour éviter des journalistes, mais aussi des flics ou des équipes de surveillance du renseignement intérieur, qui planqueraient devant l'immeuble de l'ANEV. Un peu de paranoïa dans ces moments-là ne fait jamais de mal.

Isabel a refusé, comme le lui avaient proposé les cofondateurs de l'association, de prendre un garde du corps. Non, elle a toujours été solitaire, s'est souvent débrouillée seule et elle compte continuer ainsi. Et puis, pour mener à bien sa mission, elle n'a pas besoin d'être cornaquée. C'est la clé de la réussite. Ne pas trop en dire. Son plan ne tolère aucune entorse. Alors, quand sa photo a fait la une de tous les journaux, elle s'est sentie en danger. Elle avait tout de même anticipé cette possibilité et avait acheté de quoi se grimer. Des accessoires qu'elle a soigneusement planqués chez elle, dans un placard qui ressemble aujourd'hui à une loge de théâtre ou de cinéma.

Quelques minutes à peine après le départ d'Isabel, l'un des deux informaticiens restés à l'ANEV, épuisé par des heures de code HTML, décide de faire de même. Il n'y a plus qu'une personne dans les locaux, chargée de bien tout verrouiller et d'enclencher l'alarme quand il partira. Mais il ne compte pas y aller tout de suite. Il a encore une ou deux petites choses à faire avant de passer un coup de fil important. Une fois sûr qu'il est seul et que personne ne viendra le déranger, il commence par faire le tour des bureaux, feuillette les papiers qui traînent, photographie certains d'entre eux. Puis il s'installe devant l'ordinateur du président de l'association et l'allume. Pas de code. Pas de mot de passe. Il sourit en se disant que, décidément, ces pauvres gens sont vraiment des amateurs. Il insère une clé USB et y copie le fichier contenant les noms et les coordonnées de tous ceux qui ont contacté l'ANEV depuis l'annonce de sa création. Une opération qui ne lui prend que quelques secondes. Il vérifie que tout est en place, il éteint le portable, la lumière et quitte les lieux. Il a à peine franchi le seuil, le téléphone collé à l'oreille, que son interlocuteur décroche.

— C'est fait, dit-il.

À l'autre bout de la ligne, une voix grave, presque caverneuse, lui répond :

— Bien. Continue à suivre les instructions. Tu as rendez-vous dans trente minutes exactement. Ne t'égare pas en chemin.

— Oui, mon père.

Isabel, une fois chez elle, n'en a pas encore fini. Elle sait qu'il lui reste encore une chose importante à faire. Et pas des moindres. Avant de s'y remettre, elle se sert un verre de Rioja, sort du frigo des tranches de Bellota (le meilleur Serrano, un petit plaisir qu'elle s'accorde de temps en temps) et un camembert. Un sacrilège pour les puristes que de mélanger ce jambon, érigé en patrimoine gastronomique national, avec un fromage. Français en plus. Mais on ne se refait pas. Isabel est certes espagnole, elle n'en demeure pas moins aussi française. L'avantage de la double nationalité, c'est qu'on peut garder le meilleur des deux. Elle s'installe sur son canapé avec son plateau-repas et allume la télé. Après un zapping frénétique, elle s'arrête sur une rediffusion d'une telenovela policière, *Sin tetas no hay paraíso* [Sans nichons, pas de paradis]. Un feuilleton dans le milieu des narcos colombiens dont elle avait entendu parler quand elle vivait en France et dont le titre l'avait fait hurler de rire. Elle déguste son dîner, termine son verre de vin puis va chercher une grosse pochette bleue prête à exploser dans la commode de son salon. Une étiquette blanche est collée dessus. Au feutre noir, une inscription. Un chiffre : 4.

Elle l'ouvre et commence à jeter un œil à des pages tirées de divers sites internet, en ayant pris soin de poser sur la table basse une série de photos d'un homme en costume. Si elle veut que son rendez-vous de demain avec lui soit réussi, elle doit revérifier quelques informations, relire certains documents et, surtout, nettoyer son arme.

7

Une grande enveloppe marron a été déposée au pied de sa porte d'entrée. Diego a failli trébucher dessus en sortant. Aucun nom, aucune adresse, évidemment pas celle de l'expéditeur. Le journaliste est habitué à recevoir des documents compromettants pour telle ou telle personnalité publique ou politique, des copies de procès-verbaux, des lettres anonymes accusant un proche des pires maux de la terre, des menaces. Mais jamais chez lui, toujours au bureau. Qui a bien pu laisser cette documentation devant son appartement ? Qui a pu avoir son adresse et, surtout, rentrer dans l'immeuble ainsi ? Il se pose toutes ces questions en se dirigeant vers la sortie et en décachetant le pli. Il y plonge la main, se coupe avec un trombone au bout duquel se trouve un mot rédigé à la main.

« Après avoir lu ces pages, il ne vous reste plus qu'à prendre un vol pour Paris. Ma source vous y attend. Elle est prête à témoigner. »

Signé : Isabel Ferrer.

Il s'étrangle presque en lisant la signature. Et il rebrousse chemin, impatient de lire ce que contiennent ces documents. Avant de s'y plonger, il fait place nette sur sa table de salon, encombrée de livres, d'assiettes, de journaux, de verres, de canettes. Le rangement et le ménage ne sont pas son fort. Et depuis quelques jours, il se laisse aller… Une tasse de café serré à la main, il rallume son ordinateur et sort tout le dossier que l'avocate lui a fait passer. Il ne sait pas pourquoi, mais il n'a aucun doute sur le fait que c'est elle en personne qui est venue jusque devant chez lui.

Il lui faut peu de temps pour se rendre compte qu'il tient là une partie des preuves qui ne laissent planer aucun doute sur le fait qu'au moins un bébé a été volé par les proches du régime franquiste à un couple d'opposants. Si la femme de loi parvient à en trouver d'autres – et il en faudra beaucoup d'autres –, le scandale sera prouvé et d'une ampleur qui dépendra du nombre d'enfants retirés ainsi de force à leurs parents. Un acte de naissance de l'époque ne comportant qu'un prénom, un avis de décès datant du même jour, plusieurs courriers officiels d'un notaire concernant l'adoption d'un petit garçon (dont le nom a soigneusement été censuré) qui aurait, officiellement, été abandonné par sa mère car trop jeune pour le garder. Et ainsi de suite. Tous ces documents sont des copies, mais Diego sait qu'Isabel Ferrer doit avoir les originaux bien planqués quelque part. Dans une pochette à part, il trouve un billet d'avion pour Paris, une adresse et une heure de rendez-vous. Embarquement prévu le lendemain tôt, par le premier vol Vueling quittant l'aéroport de Barajas, à 6 h 40. Retour le même jour, par le dernier avion, avec une arrivée prévue à Madrid à 23 h 55. Une petite journée en perspective…

Il n'a que quelques heures pour s'organiser. Une fois au bureau, il vérifie son matériel d'enregistrement, met à charger plusieurs batteries, on ne sait jamais, et photocopie en deux exemplaires le dossier reçu chez lui. Il compte bien en faire bon usage dès sa prochaine émission, ainsi que de ce qu'il va trouver à Paris, même s'il ne sait pas encore à quoi s'attendre. Il n'y a qu'une adresse et aucun nom dans l'enveloppe, mais le fait que l'avocate possède la double nationalité et ait vécu presque toute sa vie à Paris lui fait penser qu'il va rencontrer un informateur de premier ordre dans la capitale française. Il passe le reste de la journée dans son bureau, sortant à peine quelques minutes pour aller chercher un sandwich. Il en profite pour téléphoner à Ana et lui faire part de sa découverte de ce matin sur son palier. Elle ne peut s'empêcher de rigoler franchement et d'être admirative du culot d'Isabel Ferrer. Ils conviennent de se revoir en fin de journée pour que Diego lui donne une des copies qu'il vient de faire. On n'est jamais trop prudent dans ce genre d'affaires, mieux vaut donc que des personnes de confiance gardent avec elles ces documents compromettants. Il doit également rédiger son menu pour l'émission de vendredi et l'envoyer au réalisateur et au directeur d'antenne. Pas question cependant de leur laisser le temps de réagir. Il s'attelle donc à un « vrai-faux » conducteur, avec un programme bidon mais réaliste, celui qu'il aurait d'ailleurs pu diffuser en partie si un voyage à Paris et la lecture de quelques papiers n'étaient venus chambouler son planning. Il gardera le secret jusqu'au dernier moment, c'est-à-dire deux minutes avant la prise d'antenne, en entrant dans le studio. Trop tard pour que la régie puisse empêcher la diffusion de ce qui sera à tous les coups une nouvelle bombe radiophonique. La direction de Radio Uno va moyennement apprécier. Comme d'habitude. Et Diego s'en fout. Comme d'habitude aussi.

Ana est déjà là, trépignant d'impatience, installée au comptoir, un Coca zéro à moitié entamé, quand il arrive chez *Casa Pepe*. Il n'a pas posé ses fesses sur le tabouret à ses côtés qu'elle le harcèle de questions, voulant savoir ce que contiennent tous ces documents.

— Ben tu les liras et tu verras par toi-même, lui rétorque, le sourire aux lèvres, un Diego d'humeur taquine.

— Allez, dis-moi ! Est-ce qu'au moins il y a des preuves d'un quelconque trafic d'enfants ?

— Ça m'en a tout l'air. Et puis il y a surtout un truc qui risque de te parler... Un acte signé d'un notaire que tu connais...

— Quoi ? Qui ?

— À ton avis ? Isabel Ferrer t'a pas demandé d'enquêter sur de la Vega ? Faut croire que ce n'était pas par hasard... Il a joué un rôle important dans l'adoption d'un gamin en 1946, c'est lui qui a signé tous les papiers. De là à penser qu'il était impliqué dans le système, il n'y a qu'un pas...

— Je me rappelle avoir vu un truc comme ça quand je bossais sur lui, mais je n'y ai pas prêté trop d'importance. Pour moi, ça faisait partie de son boulot. Mais attends un peu... Son meurtre serait lié à ça ?

— Aucune idée. C'est bien trop tôt pour le penser à mon avis. Ce monsieur avait certes beaucoup d'amis proches du pouvoir, mais tout autant d'ennemis aussi, capables de tout. On va dire que c'est une hypothèse à vérifier parmi d'autres.

Le temps d'une bière, Diego veut tout savoir sur la rencontre d'Ana avec Isabel Ferrer. La détective lui raconte comment elle a planqué devant l'ANEV durant des heures avant de la voir enfin débarquer au siège de l'association. Et elle lui résume sa discussion, en lui avouant qu'elle n'a pu s'empêcher de lui proposer ses services.

— Évidemment, j'aurais dû m'en douter, lui dit Diego. C'est bien ce que tu fais. Et ils auront tous besoin d'une enquêtrice hors pair comme toi. Tâche de rester discrète quand même, je voudrais pas qu'il t'arrive quelque chose. Si jamais l'avocate a raison, ça risque de faire mal. Et tu sais aussi bien que moi que l'État n'a pas peur d'user de moyens plus ou moins légaux pour arriver à ses fins... Ils l'ont déjà fait par le passé avec ETA, ils peuvent très bien recommencer...

— T'inquiète pas, je fais gaffe. Je te rappelle que je me suis sortie de la dictature des généraux argentins sans une égratignure. Ou presque... Écoute, de toute manière, il faut que quelqu'un fasse le boulot, autant que ce soit moi. Je serai aux premières loges et je pourrai te passer des infos de première main. Allez, file, t'as un avion super tôt demain. Tâche de pas le louper et te couche pas trop tard...

— Oui, maman !

Diego rentre chez lui rasséréné d'un côté mais néanmoins inquiet. Savoir Ana au centre de l'association, aussi proche d'Isabel Ferrer, lui garantit d'être le premier et le mieux informé des journalistes de Madrid. Mais il espère que son amie ne prendra pas de risques inconsidérés. Il sait trop ce que cela peut en coûter.

* * *

Elle a bien fait de louer une grosse berline. Au moins, elle possède tout le confort nécessaire. Intérieur cuir, vitres teintées, sièges moelleux et larges. Elle peut même étirer ses jambes. Sur le siège passager, elle a ouvert plusieurs dossiers. Sa pochette portant le chiffre 4 est sur le tableau de bord. Pas besoin de l'ouvrir celle-là. Elle connaît son contenu par cœur. Et elle sait parfaitement à quoi ressemble sa cible. Isabel a roulé durant une demi-heure en sortant de Madrid. Elle a fait deux fois le tour de La Moraleja, une banlieue chic située à une vingtaine de kilomètres du centre de la capitale. Elle est passée plusieurs fois devant la grande villa blanche aux volets rouges, cachée des regards indiscrets par un portail imposant en fer forgé et une épaisse haie qui empêche de voir à l'intérieur. Puis elle a continué jusqu'à la lisière de la forêt qui entoure cette cité résidentielle où n'habitent que ceux qui ont le portefeuille bien rempli.

C'est le cas d'Adolfo Ibañez. Le président-directeur général de la Caisse d'épargne de la Méditerranée a toujours vécu là. Son père, fondateur et patron de cette banque, était l'un des financiers de Franco. Il a également facilité de nombreuses transactions et permis à certains mouvements d'extrême droite, comme la Phalange, d'avoir de larges moyens de subsistance. Jusqu'à sa mort, il a régné d'une main de fer sur son institution bancaire, avant de passer l'arme à gauche, non sans avoir assuré ses arrières et sa succession. Depuis une dizaine d'années maintenant, c'est Adolfo qui est à la tête de cette banque, qui a prospéré sous Franco, a su se faire discrète par la suite et qui revient sur le devant de la scène depuis l'arrivée de l'AMP au pouvoir. Facile quand une partie du bureau politique émarge au conseil d'administration. À vingt-cinq mille euros le jeton de présence, une manière légale de se concilier les bonnes grâces du pouvoir. Et surtout d'éviter qu'une quelconque loi sur le secret bancaire ou la transparence sur le financement de la vie politique ne vienne ternir sa réputation et mettre un frein à des affaires florissantes.

Isabel n'a pas été surprise de trouver ces liens entre les membres de l'AMP et cette banque. Elle s'en fout un peu même. Ce qui l'intéresse aujourd'hui, c'est de savoir si Adolfo Ibañez va faire son jogging. S'il va sortir de chez lui, prendre sur la gauche et courir jusqu'à la forêt, faire le tour du grand lac et revenir sur ses pas. Un parcours d'environ une heure, qu'il a l'habitude d'effectuer trois ou quatre fois par semaine, tôt le matin ou tard le soir en fonction de son emploi du temps. Elle a misé sur une sortie matinale cette fois. Raison pour laquelle elle est arrivée au milieu de la nuit. Depuis trois heures du matin, elle attend, bien installée dans sa voiture de location haut de gamme, à l'abri des regards, garée à l'entrée d'un petit chemin forestier. Le banquier devrait passer non loin d'elle. Mais il ne la verra pas.

Il fait encore nuit noire. Dans l'habitacle, les notes d'un ensemble baroque résonnent doucement. Le *Requiem* de Mozart, par la maîtrise de Montserrat, un chœur de garçons aux voix exceptionnelles, touche presque à sa fin. Isabel aime bien se laisser porter par la musique classique. Elle l'apaise. Lui fait du bien. Elle a pris soin de mettre à sonner son téléphone, au cas où elle s'endormirait. Bien sûr, c'est ce qui arrive. Le bip-bip de son iPhone la tire de sa somnolence. Il est cinq heures, la forêt s'éveille, mais les habitants de La Moraleja dorment encore. Elle se frotte les yeux, se passe un peu d'eau sur le visage, tire un Thermos de café d'un sac en plastique et s'en verse une bonne rasade. Elle ose même sortir de la voiture, histoire de se dégourdir un peu les jambes et répondre à un besoin naturel pressant. Des heures qu'elle se retient. Impossible de tenir plus longtemps. Et, si elle veut réussir son coup, elle a plutôt intérêt à ne pas avoir envie de pisser. Le seul témoin de sa petite virée non loin de son véhicule est un cerf qui se trouvait là. Pas de quoi s'inquiéter, il n'ira pas raconter aux flics qu'il a vu une femme accroupie au petit matin, peu de temps avant la mort d'Adolfo Ibañez…

Avant de reprendre place dans la berline, elle ouvre une portière arrière et en tire un long étui noir. Elle en sort un fusil, sur lequel elle dispose une lunette de visée et un réducteur de bruit au bout du canon. Elle prend cinq balles et charge son arme. Mieux vaut prévenir et prévoir large en munitions, même si elle se sent très sûre d'elle. Mais c'est la première fois qu'elle sera aussi loin de sa cible. Malgré le viseur, elle préfère assurer et se dire qu'elle devra peut-être s'y prendre à plusieurs reprises avant de l'atteindre. D'autant que le banquier sera en mouvement.

Le jour commence à se lever. Il ne va plus tarder maintenant. Isabel remonte en voiture et pose le fusil à côté d'elle. Elle a prévu de le laisser passer une première fois avant de s'installer pour attendre son retour, environ trente minutes après. Impossible alors de rester à l'intérieur. Elle va devoir se poster dehors, près du capot qui la cachera en partie et qui lui servira d'appui. À 6 h 12 exactement, Adolfo Ibañez passe d'une foulée rapide à une cinquantaine de mètres d'Isabel. Sans se douter de rien. Le moment approche. Elle allume une cigarette, qu'elle ne fume qu'à moitié, boit quelques gorgées d'eau et se décide à prendre son arme. Elle dépose un duvet près de la roue avant droite pour ne pas se salir avec la rosée du matin. Et elle attend. Il est 6 h 47 quand elle aperçoit au loin la silhouette attendue. Sa cible. Il arrive, le casque sur les oreilles, le visage un peu plus rouge que tout à l'heure. Isabel saisit son fusil, s'agenouille, s'appuie sur la voiture et approche son œil du viseur. Adolfo Ibañez apparaît, comme dans un jeu vidéo. Presque irréel. Isabel respire un grand coup, bloque sa respiration, vise le front et appuie sur la détente. Moins d'une seconde plus tard, le banquier est à terre, sur le dos, un trou entre les deux yeux, duquel s'écoule une traînée de sang.

L'avocate reste un moment sans bouger. Puis, sans même aller vers le corps de sa victime afin de s'assurer que celle-ci ne respire plus, elle démonte son fusil, ramasse la douille qui a giclé à ses pieds, range un peu l'intérieur de sa voiture et démarre tranquillement. Il n'est pas encore sept heures du matin, elle ne devrait pas mettre trop de temps pour rentrer sur Madrid. Les premiers bouchons commencent plutôt vers huit heures. Alors qu'elle rejoint l'autoroute qui mène à la capitale, elle ne peut s'empêcher de sourire. Il ne lui a fallu qu'une seule balle. Si seulement elle pouvait en parler à son instructeur de tir… Des souvenirs de Paris et des heures passées au stand d'entraînement de la police, sous le parking d'une grande avenue près des Champs-Élysées, remontent à la surface. Un privilège d'avocate pénaliste. Peu de civils ont l'occasion de pénétrer dans ce lieu tenu secret par les flics parisiens. Mais ceux-ci font tout de même quelques exceptions pour les gens qu'ils apprécient. Et Isabel en faisait partie. C'est un brin nostalgique qu'elle referme la porte de son appartement, épuisée par sa nuit quasi blanche. Elle n'a pas remarqué la fourgonnette garée en face de chez elle.

8

Diego sent une main se poser sur son épaule. Il sursaute. Ce n'est que l'hôtesse de l'air, tout sourire, qui lui demande d'éteindre son iPhone car l'avion va atterrir dans quelques minutes. Il s'exécute, retire le casque qui lui couvrait les oreilles – il avait lancé un album live de Noir Désir, un groupe français découvert il y a des années et qu'il n'avait plus écouté depuis très longtemps. Son voyage express en France l'a sûrement influencé dans son choix à l'heure de se caler dans son siège et de fermer les yeux pour tenter de terminer sa courte nuit. Réentendre du français ne pouvait pas lui faire de mal non plus. Et puis, l'histoire de ce groupe et de son chanteur qui a pris plusieurs années de prison pour avoir provoqué la mort de sa compagne l'avait marqué. Il en avait même parlé dans l'une de ses émissions.

Il s'étire tant bien que mal, se frotte les yeux et regarde par le hublot. Le ciel est gris et Paris commence à se dessiner à travers les nuages. Il distingue un bout de la tour Eiffel, le Stade de France, où il n'avait jamais eu aussi froid de sa vie que le jour de son inauguration, un mois de janvier (quelle idée !), lors d'un match France-Espagne. L'Airbus descend encore et c'est le Sacré-Cœur qui apparaît. Dans moins d'une heure, il sera là-bas, se dit-il. Son rendez-vous avec la source inconnue proposée par Isabel Ferrer doit en effet avoir lieu dans le 18e arrondissement.

« Bienvenue à l'aéroport Charles-de-Gaulle. La température au sol est de 16 °C, le temps nuageux... » À peine les roues ont-elles touché le tarmac, que s'entendent le cliquetis des ceintures de sécurité, les bips des téléphones qu'on rallume, des SMS qui arrivent. Diego ne bouge pas et regarde, partagé entre exaspération et moquerie, les autres passagers s'agiter. Il n'a jamais compris cette frénésie qui prend les gens, ce besoin de se précipiter ainsi avant même que les portes de l'avion soient ouvertes. Vite, vite, il faut sortir d'ici. Vite, vite, il faut être les premiers dehors. Vite, vite, il faut montrer aux autres que l'on est pressé. Une fois la cabine presque vide, il se décide enfin à se lever, saisit sa sacoche et salue les hôtesses. Première chose à faire, sortir fumer une cigarette, envoyer un message à Ana pour lui dire qu'il est « sur zone » (un petit rituel entre eux deux) et trouver le chemin

du RER. Pas question de prendre un taxi. Trop cher. Et, d'après son souvenir, trop cons aussi. Leur réputation a franchi les frontières depuis belle lurette et il ne garde pas un excellent souvenir de sa dernière course. Plus de cinquante euros pour faire Porte Maillot-Porte d'Auteuil… Une belle arnaque, lui ont à l'époque assuré les amis qu'il devait retrouver dans ce coin de la capitale.

Après quelques hésitations, il parvient à acheter un ticket et à s'asseoir dans le bon wagon, direction le nord de Paris. Quarante-cinq minutes plus tard, le voilà en haut des marches de la station Lamarck-Caulaincourt, en plein dans le décor d'Amélie Poulain. En avance, il décide de se poser dans le café qui fait l'angle. Il n'a rien avalé depuis la veille au soir et il commence à avoir faim. Ce sera un petit déjeuner de touriste. La totale, sur le dos de Radio Uno. Il arrivera bien à le faire passer en note de frais celui-là. Café double, jus d'orange (en bouteille, dégueulasse), croissants… pour dix euros cinquante. Un tarif de Montmartre, quoi… C'est bientôt l'heure. Il vérifie une dernière fois le numéro de la rue devant lequel il doit se trouver dans cinq minutes, puis entame la descente vers son rendez-vous, non sans une petite montée d'adrénaline. Il ne sait pas encore qui il va rencontrer ni ce que cette personne va lui raconter. Mais il sait que ce témoignage va être capital. Devant la porte du 55, rue Lamarck, se tient une vieille dame, appuyée sur une canne. Quand le journaliste arrive, elle lève la tête, lui sourit et l'aborde directement en espagnol.

— Diego Martín ? Bonjour, je suis Emilia Ferrer, la grand-mère d'Isabel.

Ça, il ne s'y attendait pas. Il s'était bien douté que l'avocate l'avait mis en relation avec une personne d'un certain âge, quelqu'un qui avait vécu sous Franco, qui avait peut-être été victime de la police du Caudillo. Mais sa propre grand-mère... Il commence à comprendre son engagement auprès de l'Association nationale des enfants volés. Il paraît si surpris qu'il en oublie de saluer la femme qui se tient droite devant lui et qui part dans un grand rire.

— Eh bien, ne reste pas planté là comme un idiot ! Je vois que ma petite-fille ne t'avait pas prévenu... Moi, je voulais qu'elle te le dise, mais elle m'a convaincue de te faire la surprise. Et vu ta tête, elle est réussie.

— Excusez-moi, oui, en effet, je... Bref, pardon, bonjour madame et merci...

— Arrête avec tes « madame », hein, pas de ça entre nous ! Appelle-moi Emilia. Et suis-moi, on va monter à la maison. Je prépare un petit café et on va parler. Je pense que tu as des questions. Moi, j'ai quelques réponses à te donner. Et, surtout, une histoire à te raconter.

Un ascenseur à l'ancienne, avec de lourdes portes en acier noir, les mène lentement au cinquième étage. La grand-mère n'a pas dit un mot durant la montée mais elle n'a pas lâché le journaliste du regard, un petit sourire en coin barrant son visage quand lui fouillait nerveusement dans son sac pour en sortir son Nagra, un casque et appuyer sur le bouton d'enregistrement, après qu'elle eut fait un petit geste de la main en hochant la tête, pour lui signifier qu'il pouvait prendre du son. Une fois à l'intérieur de ce petit trois-pièces bien entretenu, Diego ne peut s'empêcher de regarder autour de lui. L'appartement est clair, meublé avec goût et dans un style plutôt moderne, contrairement à ce qu'il pouvait imaginer. Pas de gros buffets en bois, de grosses commodes sombres, non, ici, le blanc et le beige dominent, avec des meubles fins, peu imposants. On se croirait presque dans un décor de magasin de décoration. Devançant sa question, Emilia explique à Diego que c'est sa petite-fille qui a tout redécoré il y a de cela quelques mois, après la mort de son mari.

Installés dans le salon, avec une carafe d'eau, deux verres, une cafetière italienne et deux tasses fumantes, placés sur une jolie table basse en verre, le journaliste et la vieille dame n'ont pas encore démarré formellement leur entretien. Diego aime bien prendre son temps, s'imprégner du décor dans lequel il se trouve et attendre que son interlocuteur soit fin prêt pour formuler sa première question. À côté du grand écran plat qui fait face à un canapé en cuir blanc, une console sur laquelle est posée une photo noir et blanc. Un homme assez jeune, en costume, un panama sur la tête, rit aux éclats. Il est entouré de dizaines de pigeons qui semblent s'agiter autour de lui sur une grande place.

— C'est votre mari ? demande Diego en montrant le cadre.

— Oui, c'est mon Vicente. J'aime bien cette image. C'était il y a longtemps, nous venions de nous marier et nous étions partis à Valence en voyage de noces. Une autre époque. Il est mort il y a un an environ. Cancer généralisé. Mais il est toujours avec moi. Je vais le voir une fois par semaine. Il est à côté d'ici, au cimetière de Montmartre.

— Il n'a pas souhaité être enterré en Espagne ?

— Sûrement pas ! Nous n'y avons pas remis les pieds depuis que nous sommes partis. C'était en 1946. Allez, commençons. Pose-moi ta première question, je ferai de mon mieux pour essayer de te faire comprendre ce qui nous est arrivé et pourquoi nous avons quitté notre pays.

Plus de deux heures d'interview. Diego est épuisé et il sent qu'Emilia aussi. Elle a beaucoup parlé. Elle a raconté son histoire, avec des mots simples, avec émotion aussi, mais sans jamais craquer. À quatre-vingt-neuf ans, malgré un caractère bien trempé, sa santé est fragile et se replonger ainsi dans le passé n'est pas sans conséquence. Elle lui demande de lui donner une boîte dans laquelle elle prend un cachet qu'elle avale accompagné d'un grand verre d'eau. Elle a un peu de mal à respirer et le journaliste s'inquiète. Il ne veut pas partir et la laisser dans cet état.

— Vous êtes sûre que vous ne voulez pas appeler un médecin ? Je peux rester avec vous en l'attendant.

— Non, non, c'est bon. C'est juste que c'est la première fois que je raconte tout comme ça. Je ne pensais pas que ça me ferait cet effet… Je vais aller m'allonger un peu et ça ira mieux, ne t'inquiète pas. Je te demande juste une chose…

— Bien sûr, dites-moi…

— Fais bon usage de mon histoire. Diffuse-la, parles-en. Je t'assure que je suis persuadée que je ne suis pas la seule à qui c'est arrivé. C'est la raison pour laquelle ma petite-fille s'est engagée auprès de l'ANEV. Ce scandale doit sortir. Et les coupables doivent payer.

— Je vais faire de mon mieux. Mais, vous savez, il faut que je vérifie pas mal de choses encore. Vous portez des accusations très graves, je dois approfondir certains points. En tout cas, soyez assurée de mon soutien. Et je diffuserai notre rencontre dès cette semaine. Je pense que votre interview va faire beaucoup parler.

— Tant mieux !

— Justement… Êtes-vous sûre de vous ? Cela peut avoir des conséquences fâcheuses. Je ne citerai que votre prénom, mais mes collègues risquent de vous harceler. Les journalistes vont vouloir vous voir, ils peuvent vous retrouver facilement.

— Je m'en fiche ! De toute manière, je ne donnerai plus d'interview. J'ai fait ma part du boulot. À toi et à Isabel de faire la vôtre…

Une dernière phrase assez mystérieuse, qui trotte encore dans la tête de Diego quand il reprend le RER pour filer à l'aéroport. Avant cela, il a fait un détour par le cimetière pour voir la tombe de Vicente Ferrer, le mari d'Emilia. Une stèle simple, fleurie, située non loin de celle de la chanteuse Dalida, sur laquelle sont inscrits son nom, sa date de naissance et de décès, et une phrase, un slogan plutôt, prouvant qu'il était toujours un fervent homme de gauche et un antifranquiste de la première heure : *« ¡No pasarán ! »*

Son avion ne décolle que dans quatre heures, mais il préfère s'installer dans un des bars de l'aéroport pour reprendre un peu ses esprits, écrire quelques lignes dans son Moleskine et réécouter ce qu'il a enregistré. Il ne cesse de faire des va-et-vient entre le comptoir et la sortie dédiée aux taxis pour fumer cigarette sur cigarette. Aucun voyageur ne pourrait se douter que le type qui fait les cent pas dehors, un casque vissé sur les oreilles, écoute autre chose que de la musique. Pourtant, c'est un voyage dans le temps et un témoignage poignant que Diego s'inflige une nouvelle fois. Celui d'une mère de famille, Emilia, enceinte alors qu'elle a vingt et un ans. Un enfant désiré. Un bébé qui verra le jour dans un pays en proie à une féroce dictature, mais qui sera entouré de tout l'amour de ses parents. Ceux-ci, militants du Parti communiste et fervents opposants au régime en place, ont bien réfléchi avant de décider de fonder une famille. Ils ont subi bien des fois les arrestations, les brimades, parfois la torture des hommes du pouvoir. Mais ils gardent l'espoir qu'un jour, Franco sera renversé. Quand Emilia perd les eaux, son mari n'est pas là. Il participe à une réunion clandestine destinée à planifier un certain nombre d'actions violentes contre plusieurs bâtiments publics. C'est une amie du couple qui l'accompagne à la maternité. Un hôpital géré par l'Église, comme de nombreux établissements de ce genre à l'époque. Et là, rien ne s'est passé comme prévu. Quand les bonnes sœurs et les sages-femmes lui ont annoncé que son petit garçon était mort-né, sa vie a basculé.

*

Il fallait un endroit discret pour cette rencontre. David Ponce a donc proposé à Isabel de la retrouver chez *Casa Pepe*, le bar où il a l'habitude de déjeuner avec Diego. Le patron, un ami, a accepté de fermer plus tôt. Sans poser de questions, il a baissé le rideau de fer à vingt et une heures et laissé les clés au juge. Non sans avoir préparé quelques tapas qu'il a disposées sur une table. Ils sont seuls. Le magistrat écoute l'avocate qui, avant d'entrer dans le vif du sujet, lui annonce qu'elle a mis en contact Diego avec sa grand-mère et lui résume son histoire. Surpris, il ne laisse pourtant rien transparaître. Impressionné aussi par la beauté et l'énergie dégagées par la jeune femme. Elle semble avoir une volonté de fer et être mue par une sorte de besoin irrépressible de justice. Mais celle-ci n'est-elle pas le fait que sa famille est touchée directement par cette histoire ? Une attitude qui peut s'avérer dangereuse tant elle flirte avec la ligne blanche. Entre la justice et la vengeance, la frontière est mince, pense David. Ses doutes sont cependant balayés quand Isabel lui met sous le nez une pile de documents. Des originaux. Certains très anciens, d'autres plus récents. Et des retranscriptions de témoignages de mères à qui il semble bien qu'on ait retiré de force les enfants.

Le juge lit ces pages en silence. Isabel lui laisse le temps de digérer ce qu'il a sous les yeux. Elle ne veut surtout pas l'influencer. Elle grignote quelques tapas, se sert un verre de vin, puis un autre et enchaîne cigarette sur cigarette. Absorbé dans le dossier, lui n'a touché à rien, pas même à sa bière. Il a sorti un petit calepin dans lequel il rédige quelques mots de temps en temps. Au bout d'une heure, qui a semblé une éternité à l'avocate, il lève enfin les yeux et plonge son regard dans celui d'Isabel. Il avale une longue gorgée de bière, attrape son paquet de Peter Stuyvesant (il doit être quasiment le seul à Madrid à en fumer encore) et lâche, d'un ton qui se veut détaché, mais dont on devine l'excitation :

— Pourquoi moi ?

Elle s'attendait à la question bien sûr et elle a préparé sa réponse.

— Parce que vous avez de l'expérience, une bonne réputation, que vous avez déjà instruit des dossiers très compliqués, avec des pressions politiques, que…

— Je vous répète ma question : pourquoi moi ? Et ne me sortez pas votre discours tout fait, je veux une vraie réponse.

— OK, OK… Vous avez raison, ce sera plus simple et plus court. Pourquoi vous ? Mais parce qu'à mon avis vous êtes le seul à avoir les *cojones* d'ouvrir une enquête, que vous vous foutez pas mal des conséquences et que vous êtes un emmerdeur de première, d'après ce qui se dit au Palais.

— Vous voyez, c'était pas compliqué. Bon, d'abord merci, je prends tout ça comme un compliment. Ensuite, il est évident que ce que vous venez de me montrer me permettrait de lancer une enquête préliminaire. Mais ma hiérarchie bloquerait toutes mes demandes… Il faudrait que ces familles portent plainte officiellement. Est-ce qu'elles vont le faire ? Si oui, sont-elles conscientes de ce qui peut arriver ? Pour elles et pour le pays ? Si tout ceci est vrai, ce n'est pas simplement un petit trafic d'êtres humains, mais un véritable système d'enlèvements d'enfants qui a duré des années et des années. Et je ne vous parle même pas de l'idéologie qui se cache derrière… Quant à vous, c'est un jeu dangereux que de s'attaquer comme cela au pouvoir…

— Elles sont prêtes à le faire, à courir le risque, nous en avons déjà parlé. Et ne vous inquiétez pas pour moi. Je sais ce que je fais et où je mets les pieds.

— Bon, laissez-moi vingt-quatre heures et je vous appelle pour vous dire.

— Non, c'est moi qui vous contacte. J'espère que vous prendrez la bonne décision… En attendant, si vous le permettez, je garde ces documents avec moi. Vous savez que je les ai si besoin. Et si vous vous décidez, je pense qu'il y en aura d'autres.

Isabel se lève, range lentement ses affaires et se plante devant David Ponce. Elle reste un instant immobile, le fixant de ses grands yeux noirs, et finit par lui tendre la main, avant de s'éclipser sans même lui dire au revoir. Il demeure là, affalé sur la banquette. Il se décide à ranger les assiettes et à passer derrière le comptoir pour se faire un café. Il avise une bouteille de cognac au-dessus du percolateur, s'en saisit et s'en verse une bonne rasade dans sa tasse. Il retourne s'asseoir, ouvre son calepin et relit ses quelques notes. Il sait déjà qu'il va y aller, qu'il va lui dire oui, qu'il va même lui proposer d'enregistrer lui-même les plaintes des premières familles. Reste à savoir ce qui va se passer ensuite. Sa carrière va sans doute en être entravée, mais ça, il s'en fout. Par contre, le scandale risque d'être retentissant. Les conséquences d'une telle affaire peuvent prendre une tournure dramatique, d'autant que ce sont les proches de ceux qui seraient à l'origine des bébés volés qui sont au pouvoir aujourd'hui. Autant dire que ce n'est pas gagné…

L'avocate marche d'un pas rapide dans les rues animées de Malasaña. Il y a du monde dehors. Des jeunes, des plus vieux. Verres à la main, un brouhaha indescriptible a envahi le quartier à la mode de Madrid. Un mélange de musiques (electro, rumba, disco) provient des établissements qui ont tous laissé leurs portes ouvertes, lui donnant un air de discothèque géante. Elle a garé sa voiture non loin de là.

Plongée dans ses pensées (elle est un peu déçue que le juge ne lui ait pas dit oui d'emblée et, en même temps, elle a bon espoir qu'il réponde favorablement à sa demande), elle ne fait pas attention à un homme qui marche une vingtaine de mètres derrière elle. Il est sorti d'un véhicule qui stationnait tout près de chez *Casa Pepe* quand elle a quitté le bar. Pantalon et veste noirs, il s'approche d'elle les mains dans les poches, sans faire de bruit. Lorsqu'elle ouvre la portière, il surgit de nulle part, ayant pris soin de rabattre une capuche sur sa tête. Il la saisit violemment, la plaque contre le capot en la maintenant de dos afin qu'elle ne voie pas son visage. Une main lui agrippe les cheveux, l'autre est plaquée sur sa bouche pour l'empêcher de crier. Tétanisée, Isabel n'ose pas bouger. Elle pense être la prochaine victime d'un viol. Mais quand son agresseur approche sa bouche de son oreille et se met à lui parler, elle comprend.

— C'est un premier avertissement, lui murmure-t-il d'une voix ferme. Tu vois, on te suit, on te connaît, on sait ce que tu fais. Ne va pas trop loin si tu tiens à rester en vie. Arrête ton cinéma avec cette association et cette histoire de bébés volés. Sinon…

Il lui assène alors un violent coup sur la tête qui la laisse à moitié K.O. avant de repartir d'un pas rapide et de disparaître dans une rue piétonne pleine de monde.

Au même moment, dans une fourgonnette garée juste derrière la voiture d'Isabel, deux hommes n'ont pas perdu une miette de ce qui vient de se passer. Ils ont même filmé et photographié la scène. L'un des deux a bien été tenté d'intervenir au début, mais l'autre l'en a dissuadé.

— Non ! On n'est pas là pour ça. Notre boulot, c'est juste de la surveiller. On shoote, on fait un rapport et on voit ce que disent les chefs. Mais putain, j'aimerais bien savoir qui c'est ce connard ! Il lui a rien pris, c'est sûrement lié à l'ANEV. Faudrait avertir la hiérarchie rapidement. On n'est pas les seuls sur ce coup-là…

Isabel est comme paralysée. Elle demeure vautrée sur le capot de sa voiture un long moment avant d'oser se retourner. Elle a très mal à la tête. La panique passée, elle se dit que les vraies emmerdes commencent, avant de s'installer au volant. Mais il lui en faut plus que ça pour l'impressionner. Elle n'a pas encore terminé ce qu'elle a commencé. Et elle compte bien aller au bout.

9

L'heure de la prise d'antenne approche. Diego ferme son bureau, vérifie qu'il a bien tous les documents dont il a besoin pour son émission, notamment l'enregistrement qu'il va diffuser, et descend au studio plus tôt que d'habitude. Il ne croise personne, ni dans les couloirs, ni dans l'ascenseur. La station semble s'être mise en veille. Vendredi soir, la plupart des salariés de Radio Uno sont partis en week-end. Dans la petite régie du studio 4 d'où le journaliste anime « Ondes confidentielles », le technicien est déjà là. Il pianote rapidement sur la console devant lui, jette un œil à un écran d'ordinateur, règle les potentiomètres, prépare les différents éléments sonores dont il va se servir tout en lisant le conducteur du programme.

— Salut ! lance Diego, surgissant sans faire de bruit derrière lui.

— Putain, tu m'as fait peur ! Mais t'es déjà là ? Qu'est-ce que t'as, t'es malade ?

— Non, je me suis juste dit que, pour une fois, j'allais arriver tranquillement. Et puis, il faut que je te parle, il y a du changement. Tu peux oublier le déroulé que je t'ai passé, j'en ai travaillé un nouveau.

— Ah, merde ! T'es chiant de prévenir comme ça à la dernière minute !

— Tiens, regarde, on va plutôt partir sur ça. Et il y a cet entretien qu'on va diffuser dès le début de l'émission, juste après le procureur X.

Diego tend une feuille et une clé USB au réalisateur, qui commence à lire le nouveau conducteur. Il pousse un long soupir.

— Eh ben, mon vieux… T'es sûr de toi, là ? La direction est au courant ?

— Sûr à cent pour cent. Et non, je n'ai prévenu personne. De toute façon, un vendredi à 23 h 30, il n'y a plus personne. T'inquiète pas, va, je prendrai tout sur moi, comme d'hab. Mais ils gueuleront que pour la forme, vu l'audience qu'on risque de faire…

— C'est toi qui vois. Moi, je m'en fous, ils ne peuvent pas me virer, je suis délégué du personnel. Mais toi, tu joues avec le feu, là…

— Ouais, on verra bien. Vas-y, rentre l'interview dans la machine, ça va faire du bruit. Je vais m'installer. Et je compte sur toi pour la boucler jusqu'au début de l'émission, hein ? On va leur faire une belle petite surprise.

Avant de s'asseoir face au micro et de mettre son casque sur les oreilles, Diego fait un détour par la machine à café. Il n'a pas vraiment besoin d'avaler de caféine, mais il n'a pas de cendrier. Il appuie sur le bouton d'eau chaude et ramène son gobelet encore fumant dans le studio. À peine la lourde porte refermée, il s'allume une cigarette. De l'autre côté de la vitre, le réalisateur lui jette un regard noir et, pour montrer sa désapprobation, lui tend un doigt d'honneur qui n'a pour conséquence que de faire s'esclaffer le journaliste.

Il reprend ses notes et relit une dernière fois son texte. L'excitation monte au fur et à mesure que la prise d'antenne se fait imminente. Comme si le temps s'accélérait. Il reste moins de dix minutes avant le début du programme. C'est le moment d'annoncer son sommaire sur les réseaux sociaux. Grâce à Twitter et Facebook, il sait que l'information va très vite circuler et que ceux qui le suivent vont la relayer et se brancher sur Radio Uno. Il a préparé un tweet et un post avant de descendre, il n'a plus qu'à les faire partir. Puis il envoie un SMS à son invité de dernière minute. Une petite surprise qu'il n'a pas voulu préciser sur le conducteur qu'il a donné au technicien, préférant rester très vague avec un simple « coup de fil à… ». Le numéro de son interlocuteur est enregistré en bonne place dans son portable. *« Je t'appelle pour les dix dernières minutes de l'émission, tiens-toi prêt. »* Il sera tard, mais le scoop qui arrive fera sans aucun doute le buzz.

Générique. Lancement. Annonce d'un programme spécial consacré au scandale des enfants volés, avec un témoignage exclusif. Puis c'est le moment de la chronique du procureur X, qui fait toujours son petit effet. Après celle-ci et la pause musicale qui suit (une chanson du groupe mexicain Molotov, au titre ironique pour l'occasion, *Chinga tu Madre* [Nique ta mère]), Diego entre dans le vif du sujet. Après un bref résumé de l'affaire, un rappel de l'action de l'ANEV, il ne fait pas durer le suspense plus longtemps et, d'un signe de la main, demande à son réalisateur de lancer l'entretien qu'il a enregistré chez Emilia Ferrer. Comme il le lui avait promis, il ne donne que son prénom à l'antenne et ne précise pas qu'ils se sont rencontrés à Paris, mais « quelque part en France ».

Durant vingt minutes, la voix de la vieille dame envahit le studio. L'émotion est palpable, même le technicien ne peut s'empêcher d'avoir les larmes aux yeux en écoutant ce qui lui est arrivé.

« J'étais épuisée. Cela faisait plus de douze heures que j'avais perdu les eaux et le bébé n'arrivait toujours pas. Mon mari non plus. Il était parti la veille pour un travail et n'était même pas au courant que j'étais à la maternité. Nous étions en 1946, les communications étaient plus compliquées à l'époque qu'aujourd'hui. J'étais seule dans une salle de travail. J'avais mal. Je pleurais. De temps en temps, une bonne sœur passait me voir pour tenter de me réconforter. Elle ne m'a pas dit son nom. Ce dont je me souviens très bien par contre, c'est qu'elle était très jeune. En réalité, elle ne faisait que m'inquiéter encore plus, me disant que c'était très long, qu'il pouvait y avoir des complications pour l'enfant si ça durait encore. Bref, j'étais paniquée. Puis j'ai enfin accouché, dans la douleur. J'ai entendu mon bébé pleurer. Il était vivant quand il est né, et en bonne santé, j'en suis sûre. Une mère sent cela, je le sais, c'est tout. La bonne sœur l'a pris dès que le médecin a coupé le cordon. Elle ne me l'a même pas donné pour que je le serre dans mes bras, je n'ai pu qu'apercevoir sa petite bouille. Elle a quitté la pièce et je n'ai plus jamais vu mon fils. Au bout d'un temps qui m'a paru interminable, la jeune religieuse est revenue. Seule cette fois. Elle m'a pris la main, m'a expliqué que mon bébé n'était pas très bien quand il est arrivé, que c'était pour ça qu'elle était partie très vite avec lui, pour tenter

de le sauver. Qu'ils avaient tout essayé, mais que malheureusement, il était mort-né. Qu'il fallait que je sois très courageuse. Qu'elle était là pour moi. Que c'était une épreuve. Que j'allais la surmonter. Et que je referais des enfants. J'ai hurlé. J'ai tapé partout. J'ai voulu me lever. Ils m'en ont empêchée. Ils m'ont même attachée au lit. Ils étaient plusieurs. La bonne sœur, un médecin, des infirmières. J'ai crié, crié, crié durant des heures. Je leur ai dit de me rendre mon bébé. Qu'ils mentaient. Qu'il était vivant. Que je voulais le voir. La bonne sœur me disait que c'était impossible. Qu'il ne valait mieux pas. Qu'il fallait que je me repose. Un docteur est entré et m'a injecté un produit. Je me suis endormie. Quand je me suis réveillée, mon mari était là, les yeux rougis, il me tenait la main. J'ai de nouveau hurlé qu'ils m'avaient volé mon bébé. Mon mari ne savait pas quoi faire, il ne comprenait pas. Bien sûr, quand il est arrivé, ils lui ont dit qu'il était mort. Ils m'ont redonné un puissant sédatif. Ça a duré plusieurs jours, jusqu'à ce qu'ils me fassent sortir et qu'ils me renvoient chez moi. J'ai tout raconté à mon mari, qui ne voulait pas me croire au départ, puis qui a fini par entendre ce que je lui disais. Mais c'était trop tard. Nous n'avons rien pu faire. Il est retourné plusieurs fois à la maternité pour en savoir plus. Rien. Ils se contentaient de répéter la même chose. Quand ils m'ont autorisée à sortir, ils nous ont remis un papier officiel, un acte de décès et un acte d'inhumation. Ils nous ont indiqué une tombe dans le cimetière non loin de l'hôpital, où ils disaient avoir enterré mon enfant. Je suis sûre qu'elle est vide. Que mon fils ne s'y trouve pas pour la simple raison qu'il n'est pas mort. Je ne sais pas ce qu'ils en ont fait, mais je sais qu'il était en vie et qu'il allait très bien quand je l'ai mis au monde. Ils ont volé mon bébé. Et aujourd'hui, je me dis que je ne suis pas la seule dans ce cas. Quand j'ai entendu l'annonce de la création de l'ANEV, ça a été comme un choc. Tout est remonté à la surface. Je me dis que d'autres mères ont vécu mon calvaire. Il faut que les coupables soient punis. »

Durant la diffusion du témoignage d'Emilia, le standard de Radio Uno a sauté. Les téléphones n'ont pas arrêté de sonner, les messages des auditeurs sur la page Facebook et sur Twitter se sont multipliés et propagés à la vitesse de l'éclair. Dans le studio, Diego boit du petit-lait. Il vient de frapper un grand coup. Les deux jeunes stagiaires chargés de filtrer les appels ne savent plus où donner de la tête. Ils tentent comme ils peuvent de vérifier les identités de ceux qui téléphonent et de rédiger à la va-vite une petite fiche de synthèse pour le journaliste. Durant l'heure qui suit, les réactions s'enchaînent à l'antenne. Des femmes surtout, qui remercient Emilia d'avoir eu le courage de parler. Et qui racontent qu'elles aussi ont vécu le même calvaire. Qu'elles aussi sont persuadées que leur enfant était en vie et qu'il leur a été enlevé. D'autres témoins confirment qu'il se passait des choses bizarres dans cette maternité où Emilia a accouché. Il y a également des hommes, plus jeunes, qui font part de leur doute quant à leurs parents. « Et si j'étais un de ces bébés volés ? » se demandent-ils en direct.

Diego n'imaginait pas recueillir autant de témoignages allant dans le sens de ce qu'a déclaré Emilia et de ce qu'il a pu lire dans les documents que lui a remis Isabel Ferrer. Il lui manque cependant un élément essentiel, une pièce du puzzle qu'il n'a pas encore : le mobile. Pourquoi voler des enfants ? Pour le compte de qui ? Pour en faire quoi ? Il n'ose imaginer que c'est uniquement pour l'argent. Mais après tout, pourquoi pas ? Plus rien ne l'étonne venant de ses congénères.

— Merci à tous pour vos témoignages, dit-il au micro. Le temps passe et, avant de conclure cette émission spéciale qui, je vous le confirme, en appellera d'autres sur ce sujet, je voudrais prendre en ligne quelqu'un qui a une annonce à nous faire. Juge Ponce, bonsoir. J'imagine que ce que vous avez entendu ce soir ne fait que conforter votre position ?

— Bonsoir et merci de bien vouloir me laisser la parole un instant. Oui, comme tout un chacun, je suis bouleversé, retourné même. Mais je dois aussi tenter de mettre mes émotions de côté car, suite à l'annonce de la création de l'ANEV et suite à la lecture d'un certain nombre de documents, je n'ose encore dire de preuves, que m'a remis leur avocate, j'ai décidé d'ouvrir officiellement une enquête pour enlèvement, séquestration et trafic de mineurs. Je ne sais pas où nous mènera cette investigation, mais la justice de ce pays se doit d'apporter une réponse à ces familles.

Boum. La deuxième bombe du soir. Préparée dans le plus grand secret là encore. À son retour de Paris, Diego a trouvé un message de David Ponce lui expliquant qu'il avait rencontré Isabel Ferrer et qu'il fallait qu'ils se parlent. C'est à lui qu'il a donné la primeur de sa décision.

— Je vais demander l'ouverture d'une instruction, il y a trop de choses dans ce qu'elle m'a donné. C'est une histoire de dingues. Elle m'a dit qu'elle avait de nombreux autres témoignages, d'autres preuves. On est face à un système mis en place par le régime franquiste, tu te rends compte ? Ils volaient les gamins et les vendaient !

— Tu prends de gros risques, tu sais ? Ce que tu as vécu avec l'affaire Castro, c'est rien comparé à ce qui t'attend à mon avis.

— Je sais, je sais. Mais elle est venue me voir, moi. Si je ne le fais pas, je m'en voudrai. Bon, ça risque d'être chaud. Avec leur fichue amnistie d'après dictature, je suis un peu bloqué, mais on tentera le crime contre l'humanité sinon. Il est imprescriptible et me permettra d'éviter l'écueil de la loi. Enfin, j'espère.

Annoncer une telle décision un vendredi soir permettra au juge, il ose y croire en tout cas, d'avoir un peu de temps avant que la tempête n'éclate. Mais, dans une affaire qui s'annonce hors normes, les réactions le sont aussi. Il est encore en direct qu'il reçoit un message de son ministre de tutelle. Il est convoqué le lendemain à la première heure. L'indépendance de la justice qu'ils disent. Il hésite, se demande s'il doit en parler et profiter de l'antenne, mais il se ravise.

Diego termine son émission en nage. Rarement un numéro d'« Ondes confidentielles » n'a été aussi intense. Il reste quelques minutes dans le studio, seul, une fois le programme de la nuit lancé. Le réalisateur, sonné par ce qu'il vient d'entendre, a filé. Il a besoin d'un moment de calme. Celui-ci est de courte durée. Son téléphone n'arrête pas de sonner. Ana, la direction de la radio, Ponce, des appels anonymes. Il préfère ne pas répondre, le temps de reprendre ses esprits. Deux messages arrivent simultanément, un mot, un seul. « Merci. » L'un est signé Emilia. L'autre Isabel. Mission accomplie. Du moins pour ce soir.

Il vient de provoquer un beau bordel. Ce qui n'est pas pour lui déplaire. Il ne sait pas encore quelles conséquences vont avoir les révélations diffusées dans son émission, mais il sait que ce n'est que le début. Dans un pays en crise, où le chômage ne cesse d'augmenter, où les entreprises ferment les unes après les autres, où les politiques n'ont plus la confiance du peuple, où la dictature et la mémoire historique demeurent des sujets épineux, d'autant plus dans ces moments propices au repli sur soi, le risque est grand pour le pouvoir en place. Qui va tout faire, tout, pour que surtout rien ne bouge, pour que l'on ne déterre pas les dossiers les plus sensibles, ceux qui pourraient faire vaciller cette fragile démocratie, cette monarchie constitutionnelle voulue et mise en place par un dictateur vieillissant et approuvée par un peuple aux abois il y a moins de quarante ans. Dans ce pays de l'enfant-roi, toucher aux gamins est un crime de lèse-majesté. Si les sujets du monarque se réveillaient, ils pourraient faire mal. Très mal.

*

Isabel est encore sous le choc de son agression. Une fois rentrée chez elle, son premier réflexe a été de s'enfermer à double tour, de retourner son appartement pour voir s'il n'avait pas été visité, de vérifier qu'il n'y avait pas de micros non plus. Après s'être servi un grand verre de vin rouge, elle a hésité à prévenir sa grand-mère, puis elle s'est dit qu'il ne valait mieux pas l'inquiéter. Elle décide d'appeler Ana Durán. Elle ne sait pas pourquoi, elle lui fait confiance. Elle la sent bien. La détective l'a rassurée comme elle a pu et lui a proposé une protection, qu'elle a refusée.

— Non, ils ne me font pas peur. C'est juste que je suis un peu secouée, je ne m'y attendais pas aussi tôt. Je savais que j'allais au-devant de quelques ennuis de ce genre, mais ce n'est pas la même chose quand ça t'arrive.

— Comme tu veux, mais sois prudente. Regarde derrière toi, essaie de repérer les gens dans la rue, les voitures qui te suivraient. Bref, sois un peu plus parano que d'habitude. Ça ne m'étonnerait pas que tu sois sous surveillance. Tu sais, l'État a des moyens illimités et il ne va pas lésiner. Il l'a déjà montré dans d'autres circonstances.

— Je vais m'octroyer quelques jours de repos, m'éloigner de Madrid. Débrancher mon téléphone et prendre un peu l'air sur la côte.

— Je ne sais pas si c'est une bonne idée que tu disparaisses comme ça encore une fois. Ne pars pas trop longtemps, sinon les gens vont se poser des questions. Et puis, on a besoin de toi ici.

— Je suis de retour dans deux jours. Je t'appelle en rentrant.

Direction Valence. La troisième ville du pays est en ébullition en ce mois de mars. Elle célèbre l'arrivée du printemps avec ses fêtes traditionnelles, les Fallas. Une tradition datant du Moyen Âge, qui rassemble des millions de personnes. D'immenses statues en papier mâché représentant des scènes humoristiques ou satiriques de l'année écoulée qui seront brûlées le même jour, au milieu des pétards et des feux d'artifice. De l'art éphémère et beaucoup de bruit. Pas l'endroit rêvé pour se reposer. Pour passer inaperçue, par contre, c'est idéal. L'avocate a bien choisi sa destination.

Et ce n'est pas un hasard si elle s'est décidée, un an pile après les élections qui ont vu le retour de l'AMP à la tête du pays, un an pile aussi après le meurtre de Paco Gómez, à se rendre dans cette cité en bordure de la Méditerranée. C'est là qu'elle doit rencontrer une vieille femme. C'est là que cette dernière a décidé de finir ses jours. C'est bien là qu'elle va les terminer. Sans doute plus tôt que ce qu'elle avait prévu. C'est là enfin qu'Isabel va mettre un terme à sa mission.

Sa cible numéro 5 est une femme. Elle se demande si cela va changer quelque chose. Mais elle n'a pas vraiment le temps de s'éterniser sur cette question. Il va falloir agir vite et en public cette fois. Suivant les conseils d'Ana, elle a pris des précautions avant de poser le pied à Valence. Pour tenter de brouiller les pistes et rendre la tâche plus compliquée à ceux qui seraient tentés de la surveiller, elle a commandé plusieurs billets de train, à des dates et des horaires différents, pour diverses destinations. Mais c'est en voiture qu'elle a décidé d'y aller. Une bonne idée. Les deux hommes qui planquent en bas de chez elle ont reçu l'information qu'elle avait réservé plusieurs places. Ne reste plus qu'à attendre pour la voir sortir de chez elle et ils sauront quel train elle va prendre. Ils sont surpris quand ils s'aperçoivent que c'est en voiture qu'elle part à la gare. Ils démarrent leur camionnette banalisée et décident de ne pas courir de risques et de la rejoindre directement là-bas, peu avant son départ. C'est dire s'ils sont étonnés de ne pas la trouver là où ils l'attendaient.

— Merde, on s'est fait avoir ! dit l'un des deux barbouzes.

Son collègue n'a pas le temps de lui répondre qu'il doit décrocher son téléphone. Le chef des renseignements en personne à l'autre bout du fil qui vient aux nouvelles. Autant dire qu'il est déçu d'apprendre que ses hommes ont perdu sa trace.

— Vous vous débrouillez comme vous voulez, mais vous me la retrouvez, putain ! Mais vous êtes bons à rien, c'est pas vrai ! Je veux pas savoir comment ni pourquoi, vous remettez la main dessus.

— Bien, monsieur, à vos ordres. On vous tient au courant.

Leur tâche s'annonce plutôt compliquée… Par où commencer ? Autant chercher une aiguille dans une botte de foin. Après avoir vérifié les achats d'Isabel, ils décident de se séparer. L'un part à Barcelone. L'autre à Valence.

Moins de quatre heures de route pour gagner la ville des orangers. Isabel se promène maintenant au milieu de la foule qui a pris possession de la grande place de l'Hôtel de Ville. Centre névralgique de la fête, c'est là que tous les jours a lieu un événement majeur pendant la durée des Fallas. À quatorze heures tapantes, les pyrotechniciens allument la mèche d'une installation sophistiquée pour un concert de pétards faisant plus de bruit que cent Airbus au décollage. La *Mascletà*. Un truc de fous. Le son est si puissant qu'il faut garder la bouche entrouverte pour ne pas avoir les tympans qui explosent. Des centaines de décibels qui font trembler le bitume durant quatre minutes. Le moment idéal pour tirer sur quelqu'un. Elle est sûre que personne n'entendra son coup de feu, raison pour laquelle elle a décidé d'agir là, malgré les risques que cela comporte.

En attendant de passer à l'action demain, elle repère les lieux, se baladant telle une touriste, appareil photo en main. Elle fait le tour de la place, la contourne puis se perd dans le dédale des petites rues piétonnes, qui font le charme du centre-ville. Face à l'imposant bâtiment de style Art déco de la mairie se dresse une autre bâtisse immense, datant de la même époque, qui abrite le bureau de poste principal. Sur le côté, les ruelles forment un véritable labyrinthe. Jouxtant la poste centrale, une chapelle, avec sa porte en bois et sa façade en pierres. Les gens circulent devant sans même se douter de ce qui se cache derrière. Il faut être né ici pour savoir qu'elle abrite un grand cloître et une congrégation de sœurs carmélites, présentes depuis plus d'un siècle dans ce lieu.

Isabel pousse la porte et entre dans l'édifice religieux. Pas pour prier – quoique, se dit-elle, mettre un cierge lui porterait peut-être bonheur –, mais pour repérer les lieux. Elle a lu sur Internet et dans plusieurs livres qu'une seconde sortie, à l'opposé de la première, existe et donne sur une rue de l'autre côté de la poste. Elle veut vérifier que l'endroit par lequel elle compte s'échapper est bel et bien ouvert et le sera demain. Elle n'aura que très peu de temps pour agir et elle ne veut rien laisser au hasard. Cette ultime mission est la plus difficile à mettre en place, il s'agit de ne pas se louper.

La nuit fut courte, le sommeil n'est venu que par bribes. Dehors, les festivités n'ont cessé qu'au petit matin. Isabel traîne un peu dans les parages et, à treize heures, elle prend place dans la chapelle. Assise au fond, elle feint d'être en pleine méditation spirituelle quand, en réalité, elle ne fait que surveiller les allées et venues des rares visiteurs et, surtout, des bonnes sœurs. Elle cherche sa cible. Pas facile, les carmélites sont toutes habillées pareil. Elle pense l'avoir vue plusieurs fois avant de se rendre compte qu'elle s'était trompée. Elle commence à s'impatienter. Le stress monte au fur et à mesure que l'heure de la *Mascletà* approche.

Soudain, un petit groupe quitte la sacristie et s'avance vers elle. Immobile, les yeux fixés sur la plus petite des sœurs, la plus âgée aussi. C'est elle. Sœur Mari-Carmen. Elle marche d'un pas encore alerte pour quelqu'un qui a plus de quatre-vingts ans. Quand elles passent devant elle, elle les entend rire. Elles se dirigent vers le jardin. Puis se séparent. Certaines rentrent dans leur cellule, d'autres se postent sur l'escalier de l'entrée de la chapelle. Sœur Mari-Carmen, elle, s'installe sur le rebord en pierre qui fait le tour du jardin. Ses pieds touchent à peine le sol. Elle sort un chapelet et s'appuie contre un pilier. Isabel n'a pas perdu une miette de la scène. Plus que cinq minutes avant les premiers coups de tonnerre. Elle s'avance lentement. Pour le moment, la religieuse est seule. Coup de chance. Mais pas sûr qu'elle le reste très longtemps. Sans faire de bruit, Isabel s'approche encore un peu plus. Elle est maintenant cachée derrière un autre pilier, à quelques mètres à peine de sa cible, qui ne s'est rendu compte de rien. Une première explosion la fait sursauter. Elle sourit et reprend sa prière. C'est maintenant. Dehors, le vacarme devient assourdissant. Isabel regarde à gauche, à droite, toujours personne. Elle sort de sa cachette et rejoint la bonne sœur d'un pas rapide. Cette dernière lève la tête au moment où Isabel pointe son arme vers elle. Pas le temps de réagir. Le bruit de la détonation se mêle à celui de la *Mascletà*. L'avocate rattrape sœur Mari-Carmen qui tombe en avant. Elle l'appuie sur le pilier, comme si elle s'était endormie. La tête baissée, un filet de sang coule sur son aube bleue et blanche. Moins de trente secondes plus tard, Isabel franchit la seconde porte et se fraye un passage dans la foule, après avoir rangé son flingue dans son sac. La *Mascletà* s'achève par une salve digne d'une explosion nucléaire, provoquant les cris et les applaudissements des spectateurs.

Bien après que la foule se fut dispersée, l'un des deux agents du renseignement intérieur chargé de surveiller Isabel fait le tour de la place de l'Hôtel de Ville. Depuis la veille, il a parcouru le centre historique de long en large sans succès. Il sait qu'il s'est fait berner par l'avocate. Signe qu'elle se doute de quelque chose. En attendant, il continue d'errer comme une âme en peine. Rentrer à Madrid sans le moindre indice va lui valoir un sacré savon de la part du directeur. Sans parler des vannes et moqueries des collègues. Lui et son collègue en ont pour un moment à se faire chambrer. Quand il décide finalement de laisser tomber et de prendre le chemin du retour, Isabel est arrivée chez elle depuis longtemps.

10

Un tsunami. Une tempête médiatique comme le pays n'en avait pas connu depuis très longtemps. À vrai dire, jamais. Ou presque. La seule fois où le pays a vacillé ainsi, c'était le 23 février 1981, lors de la tentative de coup d'État qui a finalement échoué moins de vingt-quatre heures après. Diego s'en souvient bien. Il avait neuf ans à l'époque. Sa première nuit blanche. Scotché avec ses parents au transistor, qui diffusait en direct les événements, il a sans doute décidé à ce moment-là de devenir journaliste. Aujourd'hui, c'est lui qui est dans l'œil du cyclone. Et il n'est pas le seul. Son ami David Ponce n'en finit pas de faire parler de lui. Le juge est sur la sellette. Les rumeurs vont bon train à son encontre, on parle de limogeage pur et simple. Une première dans l'administration judiciaire de l'après-dictature. Mais il est aussi question d'une plainte pour abus de pouvoir et prévarication. Dans les palais dorés de la monarchie et de l'État, on apprécie moyennement son initiative d'accorder du crédit à cette association d'enfants volés. L'excuse de la loi d'amnistie est brandie par le ministère de la Justice et le Conseil de l'ordre des magistrats (qui n'a jamais aussi bien porté son nom… pour être aux ordres, il prouve qu'il l'est). Dans ce pays, on n'essaie même pas de comprendre ce qu'il s'est passé, on préfère fermer les yeux. Surtout, ne pas regarder en arrière. Les caciques franquistes, du moins ceux qui sont encore en vie, et leurs héritiers peuvent dormir tranquilles. Personne ne viendra troubler leur sommeil et leurs affaires.

Après la diffusion du témoignage d'Emilia dans son émission, Diego a rejoint Ana chez elle. Il n'avait pas envie de se retrouver seul, plutôt de boire un verre avec quelqu'un en qui il a toute confiance. Pour parler du scandale, pour prendre des nouvelles aussi. Depuis qu'elle s'est embarquée dans l'ANEV, ils se voient moins. Mais il sait qu'elle continue de fouiller et de vérifier la moindre information. L'occasion de faire un point sur les investigations de chacun et d'avoir son sentiment. Elle est toujours de bon conseil et elle a surtout une intuition qui la trompe rarement. Surprise, en arrivant, David Ponce était là. Lui aussi avait besoin de parler. Chacun y est allé de ses anecdotes, de ses avancées, de ses hypothèses. Le juge a raconté dans le détail sa rencontre avec Isabel. Le journaliste en a fait de même pour son voyage à Paris et la détective leur a concocté un résumé détaillé de ce qu'elle a vu et entendu au sein de l'ANEV, sans oublier l'agression dont a été victime l'avocate. Le trio infernal a vidé de nombreux verres et ne s'est séparé qu'aux premières lueurs du jour.

Diego est rentré à pied. Le cerveau embrouillé par la fatigue et l'alcool, il n'a pas eu le temps de réagir quand, à quelques mètres de chez lui, un individu tout de noir vêtu, portant un sweat à capuche qu'il avait pris soin de rabattre sur son visage, l'a abordé. Planté devant le journaliste, lui bloquant le passage, il n'a pas beaucoup parlé, mais il lui a fait mal.

— Diego Martín ?

— Oui, qu'est-ce…

— Arrête de foutre ton nez là où il ne faut pas, espèce de fouille-merde !

Voilà les seules paroles qu'il a prononcées, avant de lui coller un coup de poing dans le ventre, le pliant en deux avec la respiration coupée. Le temps qu'il reprenne ses esprits, l'agresseur avait filé. Il n'a malheureusement pas eu le temps de voir son visage, tout s'est passé très vite. Mais il croit avoir remarqué un pendentif autour de son cou. Une sorte de croix, ressemblant à celle de l'ordre de Malte. Ce qui l'a marqué aussi, c'est sa voix. Elle était, bizarrement, douce. Le gars n'a pas élevé le ton, il a parlé doucement et fermement en même temps.

Une fois chez lui, Diego prévient Ana et David.

— Bon, ça devient chaud. Faites gaffe à vous, hein. C'était un premier avertissement plutôt gentil, il ne faudrait pas que ça dégénère et devienne plus grave.

— T'inquiète pas, le rassure Ana. On surveille nos arrières.

Ce genre de menaces ne leur font pas peur, ils en ont vu d'autres. Mais elles prouvent une chose : ils dérangent. Reste à savoir qui… En haut lieu, sûrement, ailleurs aussi semble-t-il. Des personnes qui se meuvent dans l'ombre commencent à sortir du bois. Que le pouvoir s'inquiète des actions qu'entend mener l'ANEV paraît normal, mais qui se cache derrière ces menaces ? Elles ne correspondent pas au mode opératoire des barbouzes de l'État, qui usent de moyens plus subtils pour mettre la pression. Il faut chercher ailleurs.

Trois jours après l'émission, la pression médiatique n'est toujours pas retombée. Le gouvernement a du mal à contenir l'effet dévastateur des dernières « Ondes confidentielles ». Le pays est scindé en deux. Après les mouvements sociaux engendrés par les mesures d'austérité et les coupes drastiques qu'il a imposées en matière de santé notamment, voilà que des protestations de plus en plus vives et rassemblant de plus en plus de monde commencent à s'organiser dans les grandes villes. La blessure de l'Histoire, soignée à la va-vite, se rouvre, laissant apparaître une plaie béante.

La direction de Radio Uno, sur la sellette à cause de son ministère de tutelle, a du mal, elle aussi, à gérer la situation. Prise entre deux feux, elle a convoqué Diego pour lui signifier une mise à pied d'une semaine. En même temps, elle a conscience que cette sanction, outre la mauvaise image qu'elle donne, a des conséquences sur sa programmation. Priver ainsi d'antenne un journaliste qui vient de battre un record d'audience n'est pas la meilleure des stratégies. Car les chiffres ont parlé. Plus de trois millions d'auditeurs étaient derrière leur poste durant le témoignage d'Emilia Ferrer. Sans compter les centaines de milliers de téléchargements du podcast de l'émission. Au total, plus de cinq millions de personnes ont écouté ce programme spécial.

Du côté de la magistrature, le cas du juge Ponce divise également. Son syndicat, qu'il préside, le soutient du bout des lèvres. Dans les couloirs de l'Audience nationale, ses collègues évitent de le croiser. Mieux vaut ne pas se faire voir avec lui par les temps qui courent. En gros, tout le monde semble le lâcher, il se retrouve livré à lui-même. Son rendez-vous avec le ministre de la Justice n'est sans doute pas étranger à la situation tant il a été violent. Aux dires des personnes présentes, qui se sont empressées de le faire fuiter dans la presse, les deux hommes en sont presque venus aux mains. Cris et insultes. Portes claquées. Chacun a campé sur sa position. Ce n'est plus qu'une question de jours, voire d'heures pour que le magistrat soit viré. Une solution radicale qui ne fera qu'envenimer encore plus le climat. Panique à bord du paquebot gouvernemental.

Pour couronner le tout, il reçoit des menaces de mort depuis son intervention à la radio l'autre soir. À l'ancienne. Un petit cercueil en bois déposé dans sa boîte aux lettres personnelle. Un autre dans son casier au Palais de justice. Et des plus modernes. Des dizaines de mails sur sa messagerie électronique. Des SMS injurieux aussi sur son portable. *« On va te crever. » « Ta prochaine destination : le cimetière. » « Mort au traître. » « Tu vas brûler en Enfer. »* Signés tantôt d'un groupuscule autoproclamé « les franquistes unis », d'autres fois par des mouvements religieux proches des catholiques extrémistes. Parfois, par de simples quidams nostalgiques de la dictature. Il a porté plainte pour la forme, bien qu'il sache que ça ne sert à rien. Il a conscience que ses heures en tant que juge sont comptées. Anticipant la réaction de sa hiérarchie, il a préparé et signé les papiers demandant l'ouverture d'une enquête pour crimes contre l'humanité, enlèvement et trafic d'enfants. Et même si ses supérieurs lui montrent la porte, le temps que tous les recours concernant la validité d'une telle instruction soient épuisés, il va se passer plusieurs semaines. De quoi avancer pour Isabel Ferrer. Car son probable remplaçant ne bougera pas, il sera aux ordres et il attendra que la Cour constitutionnelle donne son avis sur la question. La machine judiciaire est officiellement lancée. Reste pour lui à en payer, sûrement très cher, les conséquences.

* * *

Trop de monde. Pas assez de place. Une ambiance très particulière a envahi le siège de l'Association nationale des enfants volés. Un mélange étrange d'euphorie et d'angoisse. Au sentiment de victoire après l'annonce du juge Ponce a succédé celui de crainte. Les bénévoles ont célébré comme il se devait ce premier pas vers, ce qu'ils espèrent tous, la vérité et la chasse aux coupables. Mais aujourd'hui, ils ont peur. Peur que le magistrat soit écarté. Peur que l'enquête soit étouffée. Et surtout peur pour eux. Depuis quelques jours, ils reçoivent des lettres anonymes. Au début, ils n'y ont pas trop prêté attention. Les membres du bureau de l'ANEV s'attendaient à ce genre de courriers. Ce qui est plus gênant, c'est que ces courriers ont commencé à arriver au domicile de toutes les personnes qui ont été en contact de près ou de loin avec l'association. La même lettre pour tous. Personnalisée. Commençant à chaque fois par le prénom du destinataire. Suivi d'une prose incohérente :

« Rouge tu étais, rouge tu es, rouge tu mourras. La vermine communiste ne mérite pas de vivre, ni d'enfanter. Dieu reconnaît les siens. S'il a décidé que ton enfant ne devait pas vivre c'est ainsi. Et si tu penses qu'il était vivant, ce qui reste à prouver, dis-toi que la famille qui l'a élevé lui a donné plus que tout ce que toi tu pouvais lui apporter. »

Une réunion de crise est organisée. Isabel, rentrée de Valence la veille, a prié Ana d'être présente. La direction de l'association, composée d'une dizaine de personnes, est au grand complet. La mine grave, l'avocate leur révèle qu'elle a été victime d'une agression, plombant encore plus l'ambiance.

— J'ai demandé à Ana de nous aider sur ce coup-là, poursuit Isabel. Nous en avons discuté tout à l'heure et elle pense que nous sommes victimes soit du piratage informatique de la dernière fois, soit, ce qui serait pire, d'un infiltré qui se ferait passer pour un bénévole. En tout état de cause, les données personnelles de nos membres ont été volées et quelqu'un s'en sert pour tenter de nous faire taire.

Silence. Chacun se regarde, certains soupirent, d'autres se prennent la tête à deux mains. Ana prend la parole, histoire de ne pas trop laisser le doute s'installer, si c'est encore possible.

— D'abord, je voulais vous dire que pour le moment nous ne savons rien, ce ne sont que des suppositions. Au sein du bureau, bien sûr, il n'y a pas de problèmes. Si fuite il y a, elle ne vient pas de là. Par contre, et je ne vous juge pas, entendons-nous bien, je pense que vous avez été un peu pris de court par les événements et que vous avez accepté dans l'urgence l'aide de tout le monde. De tout le monde et, j'ai envie de dire, de presque n'importe qui. En accord avec Isabel, si vous le voulez bien, je vais vérifier les pedigrees des principaux bénévoles, en commençant par ceux qui sont venus après la conférence de presse. Il me faut les noms et les coordonnées de chacun, du simple standardiste au plus féru des informaticiens. Il va me falloir quelques jours, donc je compte sur votre discrétion. Pas un mot de ce qu'on vient de dire ne doit sortir d'ici. Et gardez un œil ouvert, on ne sait jamais.

Après un point sur la situation judiciaire et sur les dossiers arrivés depuis la diffusion du témoignage d'Emilia, dont le nombre a considérablement augmenté, Isabel et Ana décident de s'éloigner de l'ANEV pour pouvoir parler tranquillement. Tant que toute la lumière ne sera pas faite sur cette histoire, mieux vaut prendre des précautions. Ce que l'avocate n'a pas dit pour ne pas les effrayer encore plus, c'est qu'elle a aussi reçu des menaces de mort à son domicile. Les mêmes que celles du juge Ponce. L'étau se resserre, elle va être obligée d'accélérer la cadence.

Dans la pièce principale de l'association, l'un des informaticiens venus prêter main-forte au moment de la cyberattaque, et qui s'est proposé de rester pour gérer toute la partie technique, n'a pas perdu une miette de ce qui se tramait. S'il n'a pas entendu ce qui s'est dit durant la réunion, à voir les mines déconfites des personnes en sortant, il se dit que le coup a fonctionné. Il éteint son ordinateur et prétexte une pause cigarette pour sortir. Il tente d'attraper au vol quelques bribes de conversation, mais préfère ne pas insister pour ne pas éveiller les soupçons. Une fois dans la rue, il change la carte SIM de son téléphone et compose un numéro qu'il connaît par cœur.

— Mon père ?

— Oui, mon fils, que se passe-t-il ?

— Ils ont l'air paniqués. Les lettres ont fait leur petit effet. L'avocate n'en mène pas large non plus vu sa tête. Qu'est-ce que je dois faire maintenant ?

— C'est bien, c'est très bien. Tu passeras prendre de nouvelles instructions ce soir, même heure, même endroit que l'autre jour. En attendant, ne prends aucune initiative, contente-toi de regarder et d'écouter.

— D'accord, mon père. À ce soir.

— Que Dieu te bénisse.

11

Au milieu du chaos ambiant, une autre information n'est pas passée inaperçue et se dispute les unes des médias nationaux avec les bébés volés : l'assassinat d'une bonne sœur à Valence. Diego n'en a pas perdu une miette bien sûr. Il faut dire qu'il a un peu de temps devant lui. Depuis sa mise à pied, il n'est presque plus sorti de chez lui, à part pour acheter à manger et des cigarettes, et boire un café chez *Casa Pepe*. Il en a profité pour se reposer un peu, décliner toutes les invitations des autres médias, notamment des télévisions, à venir « débattre » sur le sujet des bébés volés. Grâce à Ana, il a enfin réussi à caler un rendez-vous avec Isabel Ferrer pour le lendemain. Avant cela, faire une pause. Mettre de côté ce dossier durant une journée ou deux, pour mieux y revenir, le cerveau un peu mieux disposé à réfléchir. Il s'est aussi mis à jour de sa série télé fétiche du moment, *True*

Detective, qu'il avait un peu délaissée ces derniers temps et dont il n'avait vu que la moitié de la première saison.

Et il a laissé sa souris naviguer un peu à sa guise sur Internet à la recherche d'informations sur ce crime. De lien en lien, il ne se souvient même plus comment il est arrivé à cliquer sur le site du *Levante*, l'un des deux quotidiens régionaux de Valence. Peut-être pour voir une vidéo des Fallas qui viennent de se terminer. Une fête que sa femme Carolina adorait. Ils s'y étaient rendus à de nombreuses reprises, lui traînait un peu les pieds tant le bruit de la *Mascletà* l'insupportait. Mais il le faisait pour elle. Et puis, il aimait bien l'ambiance qui régnait dans la ville, qui se transformait en immense cité piétonne, en un bar à ciel ouvert aussi. La tête pleine de souvenirs, son regard ne peut se détacher du gros titre qui barre la page d'accueil du site : *« Qui a assassiné la religieuse pendant les Fallas ? Notre enquête exclusive. »* Il clique frénétiquement dessus. Et lit le long papier qui retrace l'histoire de sœur Mari-Carmen. Une bonne sœur tuée pendant la *Mascletà*, ce n'est vraiment pas banal. Un prochain sujet d'émission, à coup sûr. Un meurtre plutôt hors du commun dont on ne sait rien, ou pas grand-chose, à part que la vieille religieuse a été retrouvée dans le cloître de sa congrégation avec une balle dans le front. L'heure de la mort, selon le légiste et les témoignages des autres sœurs, coïncide avec celle de la *Mascletà*. Pour ce qui est du mobile, pour le moment, les policiers font chou blanc.

Il appelle Ana pour lui parler de cette affaire et lui demander aussi de se renseigner dessus. La détective a le nez plongé dans les vérifications des identités des bénévoles de l'ANEV.

— Oui, j'ai vu ça, c'est un beau fait divers pour toi, dis donc. Attends une minute ! Comment tu dis qu'elle s'appelle la bonne sœur ?

— Sœur Mari-Carmen, pourquoi ?

— Je ne suis pas sûre, mais ce nom me dit quelque chose. J'ai l'impression que je l'ai vu quelque part. Laisse-moi un peu de temps, j'ai un gros boulot à finir avant, et je m'occupe de ça.

— OK, tu me diras, ce serait quand même bizarre, tu trouves pas ? En tout cas, ça peut faire une émission sympa… T'es sur quoi, c'est lié à l'ANEV ?

— Ouais, c'est sûr. Et ouais, je suis sur leur affaire de lettres anonymes, tu sais, je t'en ai parlé vite fait. À mon avis, ils se sont fait piquer toutes leurs infos quand il y a eu le piratage de leur site après l'annonce de leur création. Ils sont gentils et motivés, mais pour ce qui est de la sécurité, ça reste des amateurs. Je veux juste m'assurer qu'ils n'ont pas été infiltrés par un taré de facho ou autre.

— Les charge pas trop, ils font au mieux. Avec ce qu'ils ont vécu, c'est déjà courageux de se lancer dans ce combat. T'as vu le bordel qu'ils ont mis ? En même temps, ils ont raison, faut pas qu'ils lâchent. Tu me tiens au courant si tu trouves quelque chose ?

— Évidemment ! Allez, on se voit demain, je viendrai avec Isabel, histoire de m'assurer qu'elle arrive à bon port et entière.

— Tu crois qu'elle risque quelque chose ?

— Elle a été agressée une fois déjà, elle a reçu des menaces de mort, comme David. Et puis, l'autre jour, on était ensemble et j'ai eu l'impression qu'on était suivies. J'ai rien dit pour ne pas l'effrayer, mais j'aimerais bien vérifier ça demain. Si on peut éviter de voir les services ou qui que ce soit d'autre débarquer dans notre bar préféré, ce serait quand même pas mal, non ?

— C'est clair. Je vais prendre des nouvelles de David. Tiens, puisque tu en parles, il est chaud bouillant et persuadé qu'il va se faire virer.

Dans son bureau du Palais de justice, le juge Ponce a commencé à faire ses cartons. Aucune décision n'a encore été prise, mais il est convoqué dans quarante-huit heures au Conseil de l'ordre. Sûrement pour lui signifier son limogeage. Depuis son altercation avec le ministre de la Justice, son sort est scellé. Son supérieur direct lui a déjà retiré plusieurs dossiers et certains journalistes, ceux avec qui il a tissé une véritable relation professionnelle, pas comme Diego, ont eu vent de son exclusion du corps de la magistrature. Ce qu'il ne sait pas, c'est quelle forme elle va prendre. On ne licencie pas un juge comme cela, il faut une bonne raison. À moins qu'on lui prépare un ultime coup fourré pour l'obliger à démissionner. Mais ça, il ne le fera pas. Jamais. Célibataire, sans enfants, sans autre famille qu'un frère à qui il ne parle plus depuis des années, le pouvoir aura du mal à faire pression sur lui. Il ne lui reste, à son avis, qu'une solution : conseil de discipline. Puis *adiós* l'Audience nationale. Il attend donc le verdict, non pas avec impatience, mais avec une certaine sérénité. Car il a déjà une idée très précise de ce qu'il va faire après.

À force de lire des noms sur toutes sortes de documents, Ana s'emmêle parfois un peu les pinceaux. Mais depuis que Diego lui a parlé de cette bonne sœur assassinée, elle ne cesse d'y penser et a laissé tomber un moment ses fastidieuses vérifications pour l'ANEV afin de fouiller dans ses dossiers. Elle tourne en rond depuis plus d'une heure, retourne son bureau, ouvre chaque pochette contenant une de ses enquêtes, branche ses disques durs de sauvegarde, sur lesquels elle stocke ses archives. Rien. Pas de sœur Mari-Carmen à l'horizon. Découragée, elle s'affale sur le fauteuil club en cuir foncé qui trône fièrement devant la fenêtre et jette un dernier regard dans la petite pièce qui sert de siège social à son agence, Ana & associés. Toujours rien. Elle s'est peut-être trompée, après tout. Elle se dit que sa mémoire commence à lui jouer des tours, ce qui n'est pas bon pour ses affaires.

Elle décide alors de sortir faire un tour, d'aller saluer ses anciennes collègues qui continuent de tapiner dans la rue del Pez et d'aller boire un verre. À dix-neuf heures, c'est un peu tôt, mais c'est un horaire raisonnable. Et puis, une longue nuit de travail l'attend encore, car elle n'en a pas fini avec l'ANEV. Deux heures plus tard, après quelques bières et une tournée de tapas avec ses copines, elle est de retour. Elle allume la lumière, rouvre son ordinateur et s'assoit à son bureau. Elle s'apprête à se relancer dans ses recherches pour l'association quand elle fait tomber une pile de rapports d'enquêtes posée sur le bord du meuble. Elle en ramasse un, tourne les pages frénétiquement et pousse un cri de joie.

— Putain, voilà ! Je le savais ! dit-elle à haute voix comme si elle n'était pas seule dans la pièce.

Elle s'empresse d'appeler Diego pour lui apprendre la nouvelle. Ce nom de sœur Mari-Carmen, elle l'a bien vu quelque part. Dans une affaire sur laquelle elle a travaillé il y a quelques mois. Au cours de son investigation, elle a trouvé plusieurs papiers officiels mentionnant cette bonne sœur.

*

Le jour J., Isabel est plus stressée qu'elle ne l'imaginait à l'idée de rencontrer Diego Martín. Le journaliste a été le premier à annoncer l'ouverture d'une enquête, il aura aussi la primeur de ses réponses. La seule interview qu'elle accordera à un média. Son unique apparition et, elle espère, la dernière, sans compter ses déclarations par communiqués interposés ou lors de conférences de presse au cours desquelles elle refuse de répondre aux questions, comme lors de la création de l'ANEV. D'autres suivront, en fonction des décisions de justice, et elle fera toujours de même : lecture d'un texte, merci et au revoir, messieurs dames de la presse. Les menaces n'ont pas cessé ces derniers jours et l'avocate a du mal à gérer le stress qu'elles engendrent. Depuis son agression, elle dort mal, se réveille en sursaut et cauchemarde toutes les nuits.

Quand Ana lui a proposé de l'accompagner, elle s'est sentie soulagée. Sortir seule le soir, se retrouver à une heure tardive dans le quartier de Malasaña, celui-là même où elle a été bousculée et menacée, ne l'enchantait guère. La détective ne devrait plus tarder maintenant. Le rendez-vous est fixé dans le même bar où elle a rencontré le juge Ponce. Le quartier général du journaliste et du magistrat, lui a expliqué Ana pour répondre à sa surprise.

Elle est prête. Elle attend ce moment depuis longtemps et elle sait qu'elle joue là une carte importante pour la suite. Elle a répété plusieurs fois les mots qu'elle voulait dire, le message qu'elle voulait faire passer. Elle a noté des bribes de phrases sur des feuilles blanches, puis elle a tout jeté. Elle préfère réagir aux questions du journaliste, elle se dit qu'il vaut mieux être naturelle, ne rien lire. Après tout, elle connaît parfaitement son affaire. Elle devra se montrer ferme, comme dans ses plaidoiries aux assises, et surtout ne pas laisser l'émotion la submerger. Les faits, rien que les faits, toujours les faits et uniquement les faits, ne cesse-t-elle de se dire, comme un mantra, tout en rassemblant ses affaires.

Ana sonne à sa porte. Elles ne seront pas trop de deux pour porter son gros sac rempli de documents accablants qu'elle souhaite remettre à Diego. Depuis la création de l'ANEV, depuis que Daniel et Josefa, les deux personnes à l'origine de l'association, l'ont contactée pour lui raconter leur histoire respective, celle d'un gamin dont le père révèle sur son lit de mort qu'il a été adopté, plutôt acheté, à sa naissance et celle d'une mère qui, comme Emilia, est persuadée que son enfant lui a été volé juste après son accouchement, les témoignages s'accumulent. Ils étaient une petite trentaine au départ. Aujourd'hui, elle croule sous plusieurs centaines de dossiers. Et le chiffre augmente de jour en jour. Dans peu de temps, il dépassera le millier. Elle ne va pas pouvoir continuer seule, elle va avoir besoin de renforts, raison pour laquelle elle veut lancer un appel au cours de son interview. Car ce qu'elle n'osait imaginer semble se produire. Les cas d'enlèvements sont nombreux, très nombreux. Et, surtout, ils se sont déroulés sur une période si longue qu'Isabel a eu du mal à y croire. Mais les preuves sont là. Les papiers officiels ne laissent planer aucun doute. Ce pays a laissé une véritable mafia organiser un trafic d'enfants qui lui a rapporté des millions.

— Tu es prête ? lui demande Ana après l'avoir serrée dans ses bras. Une façon toute latine de dire bonjour.

— Oui. Tiens, aide-moi à prendre ça, c'est lourd.

— Tu déménages ? C'est quoi tout ça ?

— J'ai fait une copie de tous mes dossiers pour lui passer. Il faut qu'il se rende compte vraiment de l'ampleur du phénomène.

— Tu sais, je crois qu'il en a conscience.

— Écoute, je te crois, mais je pense que c'est mieux s'il se plonge dedans. D'autant que ça a duré vraiment très longtemps. Au point que je me demande même si ça ne continue pas aujourd'hui…

— T'es sérieuse ?

— Je me pose des questions, c'est tout. J'ai quand même un dossier très documenté qui date de 2005.

— Ah, la vache ! C'est fou ! Bon, allez, on y va, il va finir par s'impatienter le Diego sinon.

Les deux femmes montent dans la voiture d'Isabel après avoir posé dans son coffre le gros sac bourré de papiers, de photos, de coupures de presse. En sortant du parking, Ana remarque une fourgonnette grise garée non loin de là. Elle ne dit rien, mais elle a vu que celle-ci a démarré et les suit à bonne distance, en laissant une ou deux voitures entre les deux véhicules. Une filature. Elle s'en doutait. L'avocate est bel et bien sous surveillance. Elle va devoir faire jouer ses relations pour savoir qui est derrière tout ça.

Après une dizaine de minutes à tourner pour trouver une place où se garer, Isabel perd patience et décide de laisser sa voiture sur un passage piéton. Il est vingt-deux heures passées, elle ne prend pas vraiment de risques de se la faire enlever. Et puis, il y en a qui ne se sont pas posé trop de questions et qui se sont garés comme des sauvages sur le trottoir. À peine a-t-elle coupé le contact que la fourgonnette qui les suivait passe à côté, freine en arrivant à leur hauteur, puis repart, emprunte une rue sur la droite, puis encore à droite, et revient se positionner une vingtaine de mètres derrière, devant une entrée de garage, phares éteints. Isabel n'a rien remarqué, mais Ana a tout vu. Des vitres teintées à l'avant et à l'arrière. Un soum'. Un véhicule utilisé pour les planques par la police ou les renseignements.

Le bar n'est pas très loin, heureusement vu le poids du sac. Le rideau de *Casa Pepe* est baissé. Elle frappe. C'est Diego qui leur ouvre. Moment de gêne entre l'avocate et le journaliste. Ils restent plantés l'un en face de l'autre sans trop savoir quoi faire pour se saluer. Ana met fin à leur calvaire, avec humour.

— Non, mais regardez-moi ça, on dirait deux ados ! Mais faites-vous la bise, allez !

Ils rient un peu gênés puis s'embrassent et s'adressent enfin la parole.

— Bon, je crois qu'on a pas mal de choses à se dire, commence Diego, qui ne la quitte pas des yeux, troublé par son regard noir et profond. Par les traits fins de son visage. Par son allure aussi.

Ponce l'avait prévenu : « C'est une belle femme. Pas très grande, mais qui dégage une classe et une sensualité rares. Attention de ne pas tomber amoureux ! »

— Oui, je crois également. J'ai ici des choses qui risquent de t'intéresser, lui répond-elle en lui montrant les dossiers.

Les présentations faites, le premier contact établi, Ana décide de s'éclipser.

— Je vous laisse, vous n'avez pas besoin de moi pour discuter et réaliser l'interview. Isabel, appelle-moi quand vous aurez terminé, si tu veux, et je reviens te chercher. Je ne serai pas loin, j'ai un truc ou deux à faire dans le quartier.

Une fois dehors, la détective passe quelques coups de fil. Elle se pose dans un autre bar de Malasaña dont elle connaît le patron et attend. Elle ne doit patienter que quelques minutes avant que son téléphone sonne. Sa conversation est rapide. Quand elle a raccroché, elle sort et s'approche d'un pas tranquille de la fourgonnette grise.

12

Sur le comptoir, des dizaines de papiers étalés. Il y en a tout autant sur deux tables. Diego et Isabel n'ont pas vu le temps passer. Le jour commence à se lever et Carlos, le patron de *Casa Pepe*, ne va pas tarder à arriver pour ouvrir. Il va falloir ranger un peu avant qu'il puisse lever le rideau et accueillir ses premiers clients, les habitués du petit matin, ceux qui partent au boulot, mais aussi les insomniaques ou les fêtards qui viennent boire un petit café chaud et avaler un croissant avant d'aller dormir.

Ils ont consacré la nuit à lire, relire encore, vérifier, recouper les informations contenues dans tous ces documents. Avant cela, ils ont enregistré un entretien dans lequel l'avocate fait preuve d'un sang-froid et d'une conviction sans faille. Deux heures et des poussières que le journaliste va devoir éditer, monter, couper. Il ne sait pas encore quand il pourra le diffuser. Si tout va bien, il retrouve l'antenne dans quelques jours. À moins que la direction de Radio Uno ne se couche encore devant le gouvernement. Difficile tout de même de le priver d'émission une semaine de plus. Il pense être opérationnel pour le prochain numéro d'« Ondes confidentielles » ce vendredi. Il lui reste moins de quarante-huit heures pour finaliser son montage. Sauf imprévu de dernière minute, il pourra annoncer à ses patrons un nouveau scoop. Cette fois, il compte bien leur dire avant la diffusion. Un tel coup, même s'il va à l'encontre des intérêts du pouvoir, ils ne pourront pas lui refuser. Les audiences avant tout. Même quand on est le service public. Ils préféreront se faire souffler dans les bronches et la diffuser plutôt que de passer à côté. Ils le savent bien, s'ils refusent, Diego ira proposer son enregistrement à la concurrence, malgré sa clause d'exclusivité. Un bel abus du droit du travail, qu'il se fera un plaisir de dénoncer. Mieux vaut donc pour une fois jouer la complicité, personne n'est dupe de toute façon.

Car ce que l'ANEV s'apprête à révéler, par l'intermédiaire de sa porte-parole, peut avoir de graves conséquences pour l'actuel pouvoir en place, pour la monarchie, voire pour la démocratie. Les gens sont déjà au bord de la rupture. La crise attise les tensions et plusieurs manifestations contre l'austérité ont dégénéré en violentes échauffourées. Les premiers rassemblements demandant que la vérité sur cette histoire soit faite se sont pour le moment déroulés dans le calme. Ils n'étaient que quelques centaines. Mais si les protestations prennent de l'ampleur, comme l'imagine Isabel vu le nombre de dossiers qui déferlent à l'association, des affrontements sont possibles. D'autant que les forces de l'ordre sont à cran. Que certains généraux de l'armée commencent à faire des déclarations sur la situation chaotique du pays, qui rappellent les pires heures de la tentative de coup d'État de 1981. Que les députés ont voté une loi autorisant la police à faire usage de ses armes « en cas de danger imminent pour le maintien de l'ordre et de la sécurité ». Une notion toute relative.

Isabel a donc parlé. Beaucoup. Et bien. Sans jamais élever la voix, mais d'un ton qui ne laissait aucune place au doute sur sa volonté d'aller jusqu'au bout, elle a réclamé justice pour ces mères, ces pères, ces sœurs, ces frères, ces familles entières qui cherchent des réponses à leurs questions, qui ont besoin de savoir, de connaître la vérité et de voir les responsables de leur malheur arrêtés et jugés. C'est un discours net et sans bavure qui arrive dans le casque de Diego.

« Quand les deux fondateurs de l'ANEV, Josefa et Daniel, sont venus me voir pour me faire part de leur histoire, j'ai d'abord pensé à deux affaires somme toute assez classiques. Une recherche de paternité et un cas d'enlèvement. Classiques, entendons-nous bien, dans le sens où ce sont des dossiers que j'avais déjà traités en France. Pour moi, il s'agissait de défendre deux victimes dans des affaires différentes. Puis nous nous sommes revus, ils m'ont apporté des documents et j'ai commencé à enquêter. À tirer un fil qui m'a amenée jusqu'à vous aujourd'hui. [...] Nous nous sommes rendu compte qu'ils n'étaient pas seuls, que d'autres avaient vécu la même chose qu'eux. Plus nous avancions, plus nous étions horrifiés par ce que nous trouvions. Je peux vous dire maintenant, car nous avons des preuves, qu'une véritable organisation criminelle liée au régime franquiste a été mise en place dans le seul but de priver des familles d'opposants de leurs enfants. Je pèse mes mots, mais je vous parle là d'une véritable mafia idéologique, avec en sous-main une notion d'épuration, non pas ethnique, mais politique, je dirais même de classe sociale. Quand on voit les centaines de dossiers qui nous sont parvenus, c'est ce qui en ressort. À chaque fois, les victimes sont des militants antifranquistes déclarés ou des familles marquées à gauche. [...] Le pire dans tout cela,

c'est que ce trafic d'enfants a survécu à Franco. Nous avons découvert des cas qui datent de bien après sa mort. Je ne peux pas rentrer dans le détail car, vous l'avez vous-même appris en direct dans votre émission, une enquête vient d'être ouverte et je ne voudrais pas faire entrave à la justice. Mais croyez-moi sur parole, nous en avons là encore la preuve. [...] De nombreuses personnes sont impliquées, des notables, des gens qui ont pignon sur rue, des grandes familles comme on dit. Jusqu'au plus près du pouvoir actuel, des gens savaient et n'ont rien dit. Il faut que cela cesse. Il faut parler. Ne pas avoir peur. Et surtout, surtout, il faut que ceux qui ont mis en place cela ou qui en ont profité paient maintenant pour ce qu'ils ont fait. »

Retourné par les propos d'Isabel, Diego a ensuite voulu jeter un œil sur ce qu'elle lui avait apporté. Et il n'a pas été déçu. Ce qu'il a sous les yeux est absolument hallucinant. Un système sophistiqué, criminel, mafieux, corrompu, se dessine en effet petit à petit. Elle a mis le doigt dans un truc énorme. Il avait, dès le départ, senti que cette affaire était hors du commun, il ne se doutait pas à quel point. Les témoignages et, surtout, les papiers officiels récupérés par Isabel couvrent une période allant de 1945 à 2006. Plus de soixante ans… Il n'en revient pas.

Et il avoue être impressionné par le boulot abattu par l'avocate. Renfermée, presque intimidée au début, elle s'est peu à peu laissée aller à mesure que les heures s'écoulaient. Distants durant toute la durée de l'interview, ils se sont rapprochés sans même s'en rendre compte. Assis face à face pour faciliter l'enregistrement, ils ont fini côte à côte, perchés sur deux tabourets hauts près du bar. La fatigue et l'alcool aidant (après quelques cafés, ils sont passés à la vodka et ont descendu quasiment une bouteille entière), chacun y a été de ses petites confidences, ou plutôt de ses expériences. Isabel lui a raconté quelques procès retentissants auxquels elle a participé à Paris, Diego certains de ses reportages en Amérique latine. Un échange qui leur a permis de tisser une confiance dont ils avaient l'un et l'autre besoin. Dans ce genre de scandale, mieux vaut savoir que l'on peut compter sur quelqu'un. Cette proximité ne laisse pas Diego indifférent. Cela fait longtemps qu'il n'a ne serait-ce qu'effleuré le corps d'une femme. Il ne lui a pas parlé de Carolina, mais il se doute qu'elle sait. Depuis sa mort, il n'a d'ailleurs plus eu ni l'envie ni l'occasion de coucher avec quelqu'un. Isabel possède quelque chose qu'il n'arrive pas à définir. C'est une belle femme, c'est sûr. Mais il n'y a pas que ça. Elle dégage une force mêlée à une sensualité qui l'attire. En même temps, dès qu'ils se serrent d'un peu près, l'image de Carolina lui revient instantanément. Et il s'écarte très vite.

Quand ils quittent *Casa Pepe*, il fait jour. Isabel a prévenu Ana de ne pas s'inquiéter, qu'elle rentrerait seule. Diego la raccompagne jusqu'à sa voiture. Toujours garée quelques mètres derrière, la fourgonnette grise s'apprête à démarrer aussi. Les deux hommes assis à l'intérieur ont l'air endormis. Et énervés. Ils ont de quoi : peu après le départ des deux femmes, ils ont reçu un appel de leur chef de groupe.

— Vous êtes repérés, les gars, bravo pour votre discrétion, leur a-t-il dit. Bon, il se trouve que je connais la personne qui accompagne Ferrer, donc pas de panique. À mon avis, elle va venir vous voir dans pas longtemps, vous restez calmes et polis surtout. Je m'en charge. Et vous lui donnez ce qu'elle vous demande, c'est un ordre, je prends sur moi…

Surpris par ce coup de fil, ils ont à peine raccroché qu'ils voient Ana se diriger droit sur eux au bout de la rue. Ils ne bougent pas. Celui qui est au volant joue avec son téléphone, l'autre s'allume une clope en s'agitant sur son siège. La détective arrive près d'eux et tape sur la vitre côté passager. Ils ne bougent pas. Elle frappe plus fort. Ils restent immobiles, regardant droit devant eux. Ana pose alors une main sur la poignée et ouvre la portière d'un coup sec.

— Ça vous arrive de répondre ? commence-t-elle. Ho ! les pieds nickelés, je vous parle ! On discute tranquillement ou je dois rappeler votre patron ?

Surpris par le ton de la femme, les deux agents du SCRI, le Service central du renseignement intérieur, tournent la tête en même temps.

— Quoi ? répondent-ils d'une seule voix.

— Ah, quand même ! J'ai juste un truc à vous dire. Je sais que vous ne faites qu'obéir aux ordres et tout et tout. On vous a assigné comme mission de surveiller Isabel Ferrer. D'accord, je comprends vu le bordel qu'elle est en train de foutre. Mais je vous préviens d'un truc. Si jamais vous lui faites du mal, ce que je ne pense pas, ou si jamais il lui arrive quelque chose, je vous promets que je m'occuperai de vous. C'est compris ?

— Non, mais tu te prends pour qui ? Tu crois que tu nous fais peur ? rétorque celui qui est au volant.

— Vous avez tort de le prendre comme ça. Je vous aurai prévenus. Ah, un dernier truc. L'autre jour quand elle s'est fait agresser, vous étiez là, non ? Et vous n'avez rien fait ? Vous êtes vraiment des lâches ! À ce propos, votre supérieur vous autorise à me passer une copie des clichés de la scène. J'espère que vous savez prendre des photos au moins…

Ana range la carte SD que lui tend l'un des agents et s'en va sans même leur dire au revoir. Il a fallu qu'elle fasse jouer ses relations pour savoir qui se cachait derrière ce soum'. Quand elle a su qu'il s'agissait du SCRI, elle a immédiatement appelé son contact là-bas. Il lui devait un renvoi d'ascenseur à la suite d'une affaire de contre-espionnage pour laquelle il avait fait appel à elle, ce fut donc facile. Elle fait quelques mètres avant de s'arrêter. Elle se retourne et leur adresse un signe de la main leur signifiant qu'elle les a à l'œil.

Loin de s'imaginer ce qui a bien pu se passer quand ils étaient en pleine interview, Isabel et Diego s'apprêtent à retourner chez eux, fourbus par leur nuit blanche. Avant d'entrer dans la voiture, l'avocate pose une main sur le bras du journaliste et approche son visage du sien. Elle dépose un baiser à la commissure de ses lèvres, lâche un « merci » et s'engouffre dans son véhicule. Le journaliste, surpris, est encore cloué sur place quand elle tourne au coin de la rue. Au bord de la chaussée, il manque de peu de se faire renverser par une fourgonnette grise qui passe à vive allure près de lui.

* * *

Une silhouette noire avance d'un pas rapide. L'homme rase les murs, les mains enfoncées dans les poches, la tête couverte d'une casquette, un sac à dos noir sur les épaules. On distingue à peine son visage, éclairé par intermittence par les réverbères de la rue. Il est bientôt minuit, l'heure de son rendez-vous. Il jette parfois un œil derrière lui pour voir s'il n'est pas suivi, mais non. Il n'est pas très tard, il y a pourtant peu de monde dans ce quartier proche du centre-ville de Madrid. Il faut dire qu'en plein milieu de la semaine, seuls les touristes déambulent par ici, les Madrilènes préfèrent rester chez eux. Plus d'argent pour aller traîner dans les bars comme avant, même les jours de matchs de Ligue des champions comme ce soir. Les deux grands clubs de la capitale, le Real et l'Atlético, ont déjà été éliminés de la compétition. Les supporters d'ici ne sont pas assez fous pour sortir regarder le Barça, leur rival historique. De toute manière, depuis que le pays s'est enfoncé dans la crise, ils n'ont plus les moyens d'aller au stade non plus ni d'acheter les maillots hors de prix de leur équipe, et encore moins l'envie de suivre les caprices de gamins payés des millions pour courir après un ballon. « Du pain et des jeux », dit-on. Pour ce qui est du pain, il faut déjà arriver à joindre les deux bouts pour avoir quelque chose à mettre dans son assiette. Alors, les jeux… Ce sera pour plus tard. À part la Loterie nationale, seul espoir (ou rêve) pour certains d'une vie meilleure. C'est-à-dire une vie où on peut payer son loyer en temps et en heure et remplir son frigo convenablement.

L'homme est de taille moyenne, à l'allure sportive. Il est râblé, on devine une boule de muscles sous sa parka. Quand il arrive devant un grand bâtiment neuf, moderne, aux murs beiges et aux larges baies vitrées sur lesquelles des croix ont été peintes, il ralentit la cadence. Devant l'entrée, il s'arrête, regarde à gauche puis à droite. Se racle la gorge et crache sur la porte d'entrée du siège espagnol de l'Église de scientologie avant de repartir, le sourire aux lèvres, satisfait de sa petite mesquinerie. À chaque fois qu'il passe par là, il ne peut s'empêcher de le faire.

Il tourne au coin de la rue et s'approche d'un immeuble de bureaux situé non loin de là. Seul le dernier étage est éclairé. C'est là qu'on l'attend. C'est là qu'il doit faire un résumé de ce qu'il a vu et entendu au sein de l'ANEV. Et qu'il doit prendre ses instructions pour la suite. Il sent que les événements s'accélèrent et qu'ils vont lui demander d'augmenter la pression. Il a hâte de passer à l'action. À quelque chose de plus physique que de rester le nez collé à son ordinateur à rentrer des lignes de codes comme il le fait depuis des semaines avec ces gens qu'il déteste. Il a certes pu montrer un peu ses muscles avec l'avocate et le journaliste, mais ce n'était pas grand-chose et il commence à en avoir assez de jouer à l'informaticien bénévole. Il sait que c'est la volonté de Dieu. C'est Lui qui l'a désigné pour cette mission. Et, si elle est parfois difficile, il doit tenir bon pour la mener à bien. L'Église est mise en danger par cette bande de mécréants gauchistes, il faut tout faire pour la protéger. Il se sent l'âme d'un guerrier, ou plutôt d'un croisé, un combattant, en première ligne d'un conflit sur le point d'éclater.

Il sonne à l'interphone. Deux petits coups rapides, c'est le code, sur le bouton rouge. Au-dessus, en lieu et place du nom, deux lettres noires sur fond rouge : CC. Ironie du sort, c'est à quelques mètres de la scientologie que les Chevaliers du Christ ont décidé de s'installer. Ce groupuscule ultra, né il y a quelques années d'une scission provoquée par une grave crise au sein de l'*Opus Dei*, rassemble plusieurs milliers de membres. Des fanatiques catholiques persuadés que l'Espagne va bientôt connaître une nouvelle guerre de civilisation, aveuglés, voire terrifiés, par l'ancien gouvernement socialiste. Point de départ de leur organisation, la loi autorisant le mariage gay, votée dès le début de l'ancienne législature. Depuis, ils tentent de se faire entendre, sans trop y parvenir tant l'emprise de leurs anciens complices de l'*Opus* est forte sur les médias et sur l'actuel pouvoir. Une situation qui les pousse à agir de manière de plus en plus radicale, de plus en plus violente. Les discours menaçants ont laissé la place à des opérations coup de poing devant des mosquées, des synagogues, des locaux d'associations de lutte contre le sida aussi. Jets de pierres, cocktails Molotov, agressions. Ils ont été jusqu'à mettre le feu dans un entrepôt où une ONG liée au Croissant-Rouge stockait ses réserves.

L'homme entre, se dirige vers les ascenseurs, et monte au dernier étage. Les portes s'ouvrent sur un long couloir à la moquette épaisse. De part et d'autre, des portes fermées. Des bureaux vides à cette heure-ci. Au fond, un trait de lumière indique qu'ils sont déjà là. Il s'avance rapidement et pénètre dans ce qui ressemble à une salle de réunion. Assis autour d'une grande table ovale, uniquement des hommes. Certains en costume-cravate sombre, d'autres en habits religieux. Des prêtres, tous en aube noire. Lui faisant face, trônant sur cette assemblée monochrome, un personnage qu'on dirait tout droit sorti de la curie du Vatican, en habits de cardinal, rouge et noir. Il lève une main, faisant apparaître une grosse chevalière en or et l'invite à prendre place.

— Bonsoir, mon fils. Assieds-toi donc et raconte-nous tout. Après, nous te dirons ce qu'il faut que tu fasses. Jusqu'à maintenant, tu t'en es très bien sorti et je suis sûr que tu vas continuer ainsi et que tu ne nous décevras pas.

13

La nouvelle vient de tomber. Comme il s'y attendait, David Ponce va devoir quitter la magistrature. Pas encore tout à fait viré, mais suspendu sans émoluments. En attendant de se faire définitivement congédier. Le conseil de discipline n'a mis que quelques minutes avant de statuer. Il faut dire que le juge leur a grandement facilité la tâche, refusant de répondre à leurs questions, gardant le silence quand ses pairs lui ont demandé de se défendre. À quoi bon, leur décision téléguidée par le pouvoir était déjà prise, il n'avait nullement l'intention de discuter avec eux. Il est tout de même surpris par la couardise dont ils ont fait preuve. Lui qui pensait être purement et simplement licencié, le voilà puni comme un gamin. Une sanction provisoire, en attendant le verdict du procès qu'il va devoir affronter pour abus de pouvoir et prévarication. S'il est condamné, il sera définitivement renvoyé.

S'il ne l'est pas, un joli placard dans une juridiction bien loin de Madrid lui est promis. Mais il n'a aucun doute sur l'issue de cette procédure. Il sera jugé et reconnu coupable. Coupable d'avoir voulu aller à l'encontre de la loi d'amnistie. Coupable d'avoir voulu faire remonter à la surface le pire de la dictature. Coupable de déranger les puissants. Coupable de vouloir rendre justice. Coupable d'obliger un pays tout entier à regarder en arrière, à faire preuve d'un peu de courage, à travailler sa mémoire, à régler ses comptes une bonne fois pour toutes avec l'Histoire. Une procédure spéciale a été engagée à son encontre. L'audience aura lieu très rapidement. Tant mieux. Dans quelques semaines, la décision tombera et il sera libéré.

Après son passage éclair dans la salle du Conseil de l'ordre, les douze « sages » lui ont demandé de sortir et de patienter dans le couloir, comme un vulgaire prévenu attend son rendez-vous avec un juge. Bizarre tout de même de se retrouver à cette place. Venu seul, sans avocat alors qu'il en avait le droit, il savait très bien ce qui se tramait derrière la porte, il en a profité pour appeler Diego et lui faire part de son sentiment.

— Ça sent le sapin, lui dit-il après lui avoir résumé la situation. Il faut qu'Isabel Ferrer tienne bon même si je suis écarté de l'affaire. Ils vont bien nommer un autre juge, mais ce sera uniquement pour la forme. Désormais, tout se joue dans les médias et dans la rue. Tu reprends l'antenne quand ?

— Merde, comment tu te sens ? Écoute, si je peux faire quelque chose… Attends, j'ai une idée. Si tu venais dans l'émission, en studio ? Ce serait pas mal ça, non ? Normalement, je redémarre ce vendredi. Tu pourrais réagir en direct à l'interview d'Isabel. Elle est plus que motivée, t'inquiète pas, je crois qu'elle a bien compris comment faire pour que ce scandale ne soit pas étouffé.

Rendez-vous est donc pris. Diego va signer un retour fracassant sur Radio Uno avec la présence du magistrat dans son programme. D'autant qu'à sa sortie du Conseil de l'ordre, les journalistes attendent David Ponce. Pour éviter la meute de micros et de caméras, il décide de rebrousser chemin et de passer par une porte plus discrète, celle qu'utilisent les personnalités de tous ordres convoquées au tribunal et qui veulent éviter que leur rendez-vous judiciaire s'étale à la une des journaux. Il suffit de descendre au sous-sol, d'emprunter un long couloir qui longe, en réalité, le système d'évacuation des eaux usées, pour ressortir dans une petite rue parallèle au tribunal. Il ne va pas parler. Pas maintenant. Il réserve sa première déclaration à son ami. D'autant que les deux hommes, avant de raccrocher, se sont mis d'accord pour préparer une petite surprise aux auditeurs. Une annonce qui risque de faire aussi pas mal jaser dans les couloirs du Palais de justice. Le journaliste aurait aimé avoir à ses côtés l'avocate en plus du juge, mais celle-ci a décliné l'invitation. Pas besoin d'être là, lui a-t-elle expliqué, puisqu'il a eu ce qu'il voulait, à savoir son entretien avec elle. Pas faux. Il aurait surtout été content de la revoir...

En attendant, Diego doit rejoindre Ana. Elle a trouvé quelque chose. Et elle veut aussi lui montrer des images. La détective a été plutôt vague au téléphone, mais le ton de sa voix en disait long. Il ne lui faut pas beaucoup de temps pour frapper sur la vitre de la devanture de son agence. Son local commercial est situé au rez-de-chaussée d'un petit immeuble. À l'étage du dessus, son appartement, qu'elle a fait relier à son bureau par un escalier en colimaçon. Vie privée, vie professionnelle, elle ne fait pas trop la différence. Son boulot, à l'image de Diego, c'est son moteur, ce qui la pousse à se lever tous les matins. Elle tient debout grâce à lui. Qu'elle le veuille ou non, son passage par les prisons de Buenos Aires pendant la dictature et ses interrogatoires musclés par la police politique ont laissé des traces. De celles qui ne se voient pas. De celles qui sont dans la tête. De celles qui la font se réveiller toutes les nuits en hurlant. En plus de militer dans une organisation clandestine opposée aux généraux au pouvoir, il – car à l'époque Ana n'était pas encore Ana – avait à peine entamé son changement de sexe. Du coup, la torture était encore plus violente. Plus vraiment un homme et pas encore une femme. Les bourreaux étaient hystériques et s'en donnaient à cœur joie. Elle continue de faire des cauchemars plus de trente ans après. Et elle l'a répété à de nombreuses reprises à Diego : « Si je croise le gars qui m'a fait ça, je te jure que je le tue de mes propres mains. » Et il la croit. Il sait qu'elle en est capable.

Mais, pour le moment, il fait jour. Elle ouvre et invite le journaliste à monter chez elle. « Histoire d'être plus tranquilles et plus discrets », lui dit-elle tout en fermant à clé et en baissant les stores de l'agence. Une fois en haut, elle commence par lui montrer les photos de l'agression d'Isabel prises par les agents du SCRI. Diego, un peu étonné qu'elle ait ces clichés en sa possession, ne peut s'empêcher d'éclater de rire quand elle lui raconte comment elle les a récupérés et l'épisode avec les deux agents. Il plisse les yeux, s'approche, fait défiler les images. Son regard s'attarde au départ sur le visage terrifié de l'avocate. Petit pincement au cœur, petite boule dans le ventre. Un détail attire son attention. Il zoome, mais les fichiers sont d'une qualité médiocre et les pixels empêchent de bien distinguer ce qu'il y a dessus. Mais il en est quasiment persuadé. C'est l'homme qui l'a agressé aussi.

— OK, c'est le même mec qui m'a cogné, l'autre jour.

— Tu en es sûr ?

— Pas certain à cent pour cent, mais regarde, là, autour de son cou. Ça ressemble à une croix rouge, comme celle que mon agresseur portait. Et puis, il a la même corpulence. Oui, je dirais que c'est lui.

— Bon, voilà déjà une bonne chose de faite. La question est de savoir qui c'est et pour qui il travaille. Je vais rappeler mon contact du SCRI pour voir s'ils ont des infos sur lui. Sinon, regarde un peu ça.

Ana fait le tour de la table basse sur laquelle était posé son ordinateur et lui tend deux pochettes bourrées de papiers.

— Qu'est-ce que c'est ?

— Je t'avais dit que le nom de la bonne sœur me disait quelque chose. Eh bien, j'ai tout retourné et figure-toi que j'ai fini par trouver. Reste assis, tu vas avoir un choc…

— Mais vas-y, parle !

— Elle apparaît dans mon enquête sur le notaire Pedro de la Vega. Celle que m'a demandée Isabel.

— Quoi ?

— Tu vois, je te l'avais dit !

— Comment ? C'est quoi le lien ?

— Figure-toi qu'elle travaillait dans une maternité madrilène quand elle était jeune. Je te parle des années quarante et cinquante. Et qu'à cette période, l'autre venait d'ouvrir son étude. Il démarrait, il traitait pas mal de dossiers sans grande importance, pas comme après, si tu vois ce que je veux dire. Des ventes de terrains, des constitutions de petites sociétés. Et des affaires d'adoption. Il s'en était même fait une spécialité.

— Je comprends pas…

— Attends, laisse-moi finir ! Il a rédigé les actes d'au moins une centaine de couples d'adoptants pour la seule année 1946. Et dans pas mal de ces dossiers destinés au tribunal, qui est le témoin de moralité des familles d'accueil à chaque fois ? Une certaine sœur Mari-Carmen… Ta fameuse bonne sœur ! C'est pas beau ça ?

Diego demeure sans voix. Il est sonné par ce que vient de lui dire Ana. Il tente de reprendre ses esprits, mais il a du mal. Son cerveau est embrouillé. Trop d'informations. Il lui faut un peu de temps avant d'assimiler ce que la détective a trouvé, juste ce qu'il faut pour avaler le café serré qu'elle lui a préparé. Puis la mécanique repart, le moteur s'emballe, ses cellules se remettent à fonctionner à plein régime. Grâce à Ana, il peut regarder cette affaire depuis un angle différent. Un notaire et une bonne sœur assassinés dans deux villes différentes à plusieurs mois d'intervalle. Quasiment de la même façon, à bout portant, d'une balle dans la tête. Un notaire et une bonne sœur qui se connaissaient ou qui, du moins, avaient été en contact des années auparavant. Un notaire et une bonne sœur dont les noms figurent sur des documents d'adoption d'enfants durant la dictature. Il ne peut s'agir d'une coïncidence.

Il décide de tout reprendre à zéro. Le meurtre du notaire d'abord. Et il a besoin d'en savoir plus aussi sur celui de sœur Mari-Carmen. Mais il ne peut pas tout faire en même temps. D'abord, son émission avec David Ponce et le témoignage d'Isabel Ferrer. Puis, se pencher de nouveau sur de la Vega et tenter d'avoir accès au dossier de l'assassinat de la religieuse. Ensuite… Eh bien, ensuite, il verra où tout cela le mène. Avec Ana, ils choisissent de se donner quelques jours avant de repartir sur cette piste. Ils ont chacun un boulot à finir. Chaque chose en son temps. Dans ce genre de dossier, la patience et la réflexion priment. Pas besoin de se précipiter. A priori, ils sont les seuls à avoir découvert le lien entre ces deux victimes. Ils ont un coup d'avance sur des médias qui se foutent complètement des morts, même violentes, d'un vieux notaire et d'une vieille nonne alors qu'un scandale national ébranle la nation.

Diego a eu la confirmation qu'il pouvait bien reprendre le micro. Quand il a annoncé à la direction de Radio Uno qu'en plus de l'interview d'Isabel Ferrer, il avait en invité spécial le juge Ponce, celle-ci n'a pas hésité une seconde à communiquer la nouvelle immédiatement. Dès le vendredi matin, le buzz était lancé. Même si le journaliste a refusé de jouer le jeu de la promo et de dire ne serait-ce que quelques mots pour résumer les propos de l'avocate, au grand désespoir de la direction de la communication de la station, l'info a fait l'effet d'une bombe. Ce numéro d'« Ondes confidentielles » est si attendu qu'ils sont nombreux à être restés en ce début de week-end. Tous veulent assister en direct à l'émission. Ce qui a le don d'exaspérer Diego. Lui, habitué au calme, presque à la solitude des lieux lorsqu'il entre en studio, n'apprécie pas trop de voir le monde qui traîne encore dans les bureaux, qui s'approche peu à peu de la régie. Quand il aperçoit le P-D.G. et presque tout le conseil d'administration de la radio, suivi par plusieurs caméras, essayer de pénétrer dans la petite pièce où le réalisateur tente, tant bien que mal, de contenir les gens, il explose. Il doit être à l'antenne dans moins de quinze minutes et, une chose est sûre, il ne la prendra pas devant un tel « public ».

— Vous sortez ! hurle-t-il à l'attention de ses patrons. Tout le monde dehors ! C'est quoi ce bordel ? Si vous restez, je ne fais pas l'émission, c'est clair ? Putain, je rêve… Allez, du balai ! Ça veut dire quoi, ça ? Un jour, on me met à pied, le lendemain j'ai droit à toute la clique des huiles de la station. On n'est pas au cirque ici, j'ai pas pour habitude de me donner en spectacle. Je vous préviens, je vais chercher mon invité et fumer une cigarette. Si vous êtes encore là quand je remonte, je ne rentre pas dans ce studio !

Il repart, ses dossiers sous le bras, une clope déjà au bec, pestant contre sa direction. Il ne sait pas comment elle va réagir. Une chose est sûre, s'ils n'ont pas bougé, il ne prendra pas le micro. Il préfère se tirer une balle dans le pied plutôt que de jouer leur jeu. Il termine sa cigarette quand David Ponce surgit. Il lui explique la situation. Le juge rigole et le rassure. Ils ne sont pas fous : il n'y aura plus personne devant le studio. Quand ils y arrivent, c'est en effet le calme plat. Le réalisateur du programme n'en revient pas, mais ils sont tous partis, à peine Diego avait-il pris l'ascenseur pour sortir. D'après ce qu'il a entendu, ils ont migré au dernier étage, dans la salle du conseil d'administration, pour écouter ensemble le programme. Ils étaient déçus d'apprendre qu'ils n'auraient que le son. Mais le studio 4 est le seul de Radio Uno à ne pas posséder de webcams ou de caméras. C'est pour cela que Diego l'aime bien. Quelle idée de filmer la radio… Une nouvelle mode, une tendance, la radio 2.0, la radio connectée, disent les spécialistes. Des conneries, oui ! S'il a choisi ce média, c'est justement pour ne pas montrer sa tête. Et voilà qu'on veut mettre des caméras partout dans les studios maintenant.

Le journaliste et le juge s'installent. Ils ont tout juste le temps de faire un test de voix pour régler les micros avant le début de l'émission. Casque sur la tête, Diego lance son habituel *« Amis du noir, bonsoir »* et annonce le sommaire de ce numéro exceptionnel. David Ponce le regarde faire. Il apprécie son professionnalisme, admire son aisance et son sens de la repartie. Il joue avec son briquet et sourit quand son hôte du soir, tout en continuant à parler et sans rien laisser transparaître, lui fait signe que c'est bientôt le moment de leur entretien et qu'il peut s'allumer une cigarette s'il le souhaite. Il a trois minutes pour la fumer, le temps de la diffusion de la chronique du procureur X. Une rediffusion cette fois. Avec tous ces événements, ils n'ont pas eu le temps d'en réaliser une inédite.

« Alors, avant tout, comment dois-je vous appeler ce soir ? Monsieur le juge ? Monsieur Ponce ? David Ponce ? commence Diego.

— Appelez-moi David, tout simplement. Nous n'allons pas mentir aux auditeurs et leur faire croire que nous ne nous connaissons pas. Pour ce qui est de ma fonction, pour le moment je suis encore magistrat, mais pour combien de temps ?

— Quelle est votre réaction à tout ce qui se passe ?

— Écoutez, je vais être honnête. Bien sûr que je suis affecté. Mais je ne suis pas surpris outre mesure. Quand j'ai annoncé sur cette antenne ma décision d'ouvrir une enquête sur cette histoire des bébés volés sous Franco, je savais quels risques je prenais. Je ne regrette rien... »

Durant une vingtaine de minutes, Diego soumet David à la question. Ce dernier s'en sort plutôt bien. Il ne veut pas être considéré comme une victime du système. Ce qui lui importe, c'est de faire passer le message que l'Association des enfants volés a de bonnes raisons d'avoir été créée. Qu'il faut que justice soit enfin rendue. Que le moment est venu pour les responsables de ce crime odieux de passer à la caisse.

« Une dernière question, David, si vous le permettez. Une question qui fait écho à ma toute première au début de notre entretien. Avouons-le, j'en connais la réponse mais, chers auditeurs, je ne peux m'empêcher de la poser et je suis sûr que vous allez être très surpris... Alors, voilà, je me lance. David, êtes-vous, es-tu, le procureur X ?

— Je suis démasqué ! plaisante David Ponce. Oui, c'est bien moi.

— Voilà, chers amis, une autre révélation ce soir. La véritable identité de notre célèbre procureur anonyme. Il ne l'est plus aujourd'hui et j'espère bien qu'à partir de la semaine prochaine, David pourra continuer, sans se cacher cette fois, à nous régaler de ses chroniques au vitriol. »

Pause musicale pour permettre à tout le monde, dans le studio comme derrière son poste, de reprendre son souffle avant la suite. Une suite qui s'annonce encore plus forte, avec la diffusion de l'entretien d'Isabel Ferrer. Diego ne laisse le soin à personne de choisir les disques qui vont ponctuer son émission. Deux ou trois titres selon les semaines. Toujours en lien plus ou moins étroit avec les sujets évoqués. Cette fois, il s'est décidé pour une chanson que tout le monde connaît en Espagne et ailleurs, un tube de 1974 interprété par Jeanette, *Porque te vas* [Parce que tu pars], en guise d'hommage au départ imminent du juge Ponce de la magistrature. Un titre qui ne doit rien au hasard aussi parce qu'il a été la bande originale d'un grand film de Carlos Saura sorti deux ans plus tard, *Cría cuervos*. Une fable sur la mort, la perte d'un être cher, mais aussi sur les relations compliquées entre le monde des enfants et celui des adultes, le tout dans une Espagne franquiste et dans une famille bourgeoise empêtrée dans ses valeurs et ses codes. Au dernier étage de Radio Uno, on n'écoute pas la musique. La direction tente de ne pas se montrer trop surprise après la révélation en direct de l'identité du procureur X et de faire bonne figure. Mais les discussions à voix basse vont bon train. La question est de savoir s'il faut garder ce chroniqueur plutôt gênant mais qui ne veut pas être payé ou lui couper le micro dès la semaine prochaine.

Dans le studio, Diego et David savourent leur coup. Le juge reste pour écouter les déclarations d'Isabel et y réagir. Avant même le lancement de l'interview, le programme est d'ores et déjà un succès. L'audience devrait suivre vu le nombre d'appels au standard. Le journaliste a décidé, pour la première fois depuis qu'il présente « Ondes confidentielles », de diffuser toute la rencontre sur une heure. Jamais ses interviews ne durent aussi longtemps habituellement. Le contexte, la personnalité, les propos sont tels qu'il n'a pas eu trop le choix. Et le temps aussi lui a manqué pour faire un montage plus court et plus nerveux.

« Jusqu'au plus près du pouvoir actuel, des gens savaient et n'ont rien dit. »

La dernière phrase d'Isabel tombe comme un couperet. Dix secondes de silence, une éternité, viennent ponctuer l'entretien. Diego sait jouer avec les codes de la radio et ceux du suspense. Il manie le micro comme d'autres l'épée. Une lame fine et acérée. David Ponce ne peut que saluer le courage de l'avocate et préfère ne pas trop en faire, si ce n'est lui souhaiter, à elle comme à tous les membres de l'ANEV, bonne chance pour la suite. Générique de fin. Rendez-vous la semaine prochaine. Avec un retour à un programme peut-être plus classique. Ou pas…

*

Une forte odeur de peinture surprend Isabel quand elle entre dans son immeuble. Fatiguée après sa nuit blanche en compagnie de Diego, elle n'a fait depuis qu'un passage éclair chez elle pour se changer avant de repartir à l'ANEV. La paranoïa s'est emparée des bénévoles depuis leur réunion de l'autre jour, il a fallu calmer tout le monde. Ana n'a pas encore terminé ses vérifications qui, pour le moment, n'ont rien donné. Troublée aussi par le geste qu'elle a eu envers le journaliste avant de le quitter. Elle n'a pas vraiment réfléchi, ce baiser était naturel, pourtant elle n'arrive pas à comprendre pourquoi elle l'a fait. Non pas qu'elle ne le trouve pas séduisant, au contraire, mais elle se demande ce que cela peut impliquer ensuite. Afin de ne pas trop y penser, elle s'est plongée encore plus dans le travail. Elle a rassemblé tellement de documents, de photos d'époque, de paperasses, qu'elle doit faire preuve d'une minutie quasi obsessionnelle pour s'y retrouver. Perdue dans ses pensées, elle n'a pas entendu plusieurs de ses voisins, réunis au pied des escaliers. Ils parlent fort, font de grands gestes. Elle sursaute en les voyant. Certains semblent en colère, d'autres ont la mine inquiète. Ils l'attendaient. La présidente du conseil syndical leur demande de se taire d'un geste ferme. Elle prend la parole pour tenter d'expliquer à Isabel ce qui se passe. Sans attendre la fin de sa phrase, elle grimpe en courant les marches et arrive, essoufflée, au deuxième étage. Devant la porte de son appartement, elle s'arrête net, pétrifiée. L'odeur vient de là. Sa porte est maculée. Quelqu'un l'a aspergée de peinture rouge, comme des taches de sang, et a inscrit en noir une phrase qui ne fait aucun doute sur les intentions du ou des vandales : *« Tu es le diable. Tu vas brûler en Enfer. »*

Après son agression dans la rue, cette fois la menace se rapproche encore, se fait plus dure et, surtout, dans la sphère privée. Ce qui signifie qu'elle n'est plus en sécurité dans son appartement. Première chose à faire, prendre en photo cette porte sous tous les angles, ne toucher à rien et appeler Ana. Même si son envie première est plutôt de contacter Diego, d'entendre le son de sa voix. Mais elle doit garder la tête froide. La détective sera de bon conseil et saura quoi faire. Isabel refuse, pour le moment, d'écouter ses voisins qui lui enjoignent d'appeler la police. Elle ne le souhaite vraiment pas. Exposée comme elle l'est, pas sûr que les flics se donnent tous les moyens pour retrouver celui qui a fait ça. Au contraire. D'ailleurs, si tout cela venait d'un service de l'État ? Et puis, faire rentrer des forces de l'ordre dans son appartement n'est pas tout à fait la meilleure des idées. Si la police commence à fouiner et qu'elle déniche ses armes ou ses dossiers, cela pourrait la mettre dans une situation plus qu'embarrassante.

Quand Ana arrive, elle trouve Isabel assise sur les marches, seule, la tête dans les mains, endormie. La fatigue a eu raison d'elle. Un réveil en douceur, un coup d'œil au tag sur la porte et un coup de fil plus tard, les deux femmes pénètrent enfin dans l'appartement. Un rapide tour du propriétaire suffit pour confirmer qu'il n'y a pas eu effraction. Isabel s'affale sur son canapé pendant qu'Ana lui sert un verre de vin. Besoin d'un petit remontant. Et de s'organiser pour les prochains jours. La détective lui propose de s'installer chez elle en attendant que tout cela se calme, ce qu'elle accepte volontiers.

— Bon, il faut que je te dise quelque chose, continue Ana. As-tu remarqué une fourgonnette grise garée en bas de chez toi ?

— Non, je t'avoue que je n'ai pas fait attention.

— OK, je t'explique. Tu es sous surveillance depuis un moment déjà par le SCRI, tu sais, les renseignements intérieurs.

— C'est pas vrai…

— Le contraire aurait été surprenant. Au moins, ça prouve qu'ils font leur boulot. Je connais un des patrons là-bas, c'est lui que j'ai appelé tout à l'heure. Les deux agents chargés de te coller aux basques vont monter et regarder d'un peu plus près ta porte. Ensuite, tu partiras avec eux. Ils veulent discuter avec toi.

— Partir avec eux ? Mais où ? Je croyais qu'on allait chez toi…

— Ils veulent juste faire un point avec toi. Mon contact n'a pas voulu entrer dans le détail. Mais ne t'inquiète pas, je m'en porte garante, il est du côté des gentils, lui. Après, je passe te prendre et, ce soir, on se fait un dîner tranquille entre filles toutes les deux.

Le temps de rassembler quelques affaires, de saluer les deux agents, qui approchent leur objectif d'aussi près pour la première fois, et le petit groupe se retrouve dans la rue, près de la fourgonnette banalisée. Au moment de s'y engouffrer, Isabel reçoit un appel en provenance de France. Sa mère. Qui lui annonce que sa grand-mère vient d'être hospitalisée d'urgence dans un état grave.

14

Bien sûr, le témoignage d'Isabel a fait la une des médias durant tout le week-end. Presse écrite, Internet, radios, télévisions ont monté des éditions spéciales, des dossiers, des débats plus ou moins sérieux, avec des professionnels en tous genres. Ceux qui se délectent d'être invités sur les plateaux, qui se donnent des titres ronflants et que le petit écran notamment aime mettre dans la lumière dès qu'un événement l'impose. Des pseudo-criminologues, des psys diplômés d'obscures universités lointaines, des constitutionnalistes sortis d'on ne sait où, des chercheurs qui ne trouvent jamais rien. Des « experts » brassant du vent, qui parlent souvent pour ne rien dire ou pour balancer des banalités enveloppées dans des mots compliqués et savants. Des « bons clients » qui n'hésitent pas à se disputer violemment en direct, pour le plus grand bonheur des producteurs, des téléspectateurs et des régies publicitaires, qui peuvent vendre à prix d'or les spots de trente secondes. Un spectacle affligeant qui empêche la plupart du temps d'aller au fond des sujets. Des talk-shows encouragés par le gouvernement, qui préfère que le public s'amuse, même sur des affaires graves, plutôt que de réfléchir.

Les chaînes privées s'en sont fait les chantres depuis longtemps déjà. Dès l'arrivée au pouvoir de l'AMP, le service public a suivi cette tendance. Il faut dire que l'actuel ministre de la Culture et de la Communication était président de la première télévision privée du pays. Un poste qu'il a été obligé de quitter pour prendre la tête d'une administration dont le but principal semble être de faire taire toute critique et de favoriser les amis. Les siens, ceux de ses collègues, ceux des députés, des sénateurs et tous ceux qui ont œuvré, dans les coulisses (c'est-à-dire ceux qui ont mis la main à la poche durant la campagne électorale), pour remporter les élections. Dès les premiers jours de la nouvelle législature, il a nommé ses proches aux manettes des grands médias publics. Une sorte de « berlusconisation » du paysage médiatique. Heureusement, quelques irréductibles font de la résistance, comme Diego, mais il n'est pas le seul. Plusieurs sites lancés par des journalistes chevronnés et licenciés des grands groupes de presse ont vu le jour, des magazines vendus uniquement sur abonnement aussi, tous portent un regard critique, voire très critique, envers la situation que connaît le pays et la politique d'austérité mise en place pour tenter d'en sortir. La crise a frappé ce secteur de plein fouet, la plupart des quotidiens nationaux ont taillé dans leurs effectifs de manière drastique et les journaux se ressemblent tous aujourd'hui, avec de moins en moins de place pour les grandes enquêtes ou reportages, de plus en plus pour le futile et les petites phrases qui font le buzz. Les sommaires des journaux télévisés de toutes les chaînes, privées comme publiques, donnent l'impression d'être dictés depuis La Moncloa, la résidence du Premier ministre. Comme au temps du franquisme.

À l'heure qu'il est, Diego est bien loin de toutes ces considérations. Ce qui l'intéresse, c'est de se replonger dans les dossiers qu'Isabel lui a remis et d'essayer d'avancer avec un œil nouveau, notamment grâce aux informations d'Ana sur le notaire et la bonne sœur. Son expérience et son intuition le poussent à croire que ces deux meurtres sont liés au scandale des bébés volés. Il n'en a pas la preuve, il ne sait pas encore ni comment, ni pourquoi, mais cette hypothèse lui paraît de plus en plus probable. Les derniers événements n'ont fait que confirmer ce qu'il osait pourtant à peine envisager quand il a eu les premiers documents entre les mains, ceux qu'il a reçus dans une enveloppe en même temps que le billet d'avion pour Paris. Dedans se trouvait un acte d'adoption signé Pedro de la Vega. De nombreuses questions restent cependant encore sans réponses et il compte bien les trouver. D'autant qu'il a un peu de temps devant lui, sa prochaine émission étant prévue dans deux semaines seulement pour cause de vendredi férié.

Sa direction, vexée d'apprendre en même temps que tout le monde l'identité du procureur X et d'avoir cédé à sa demande en se réfugiant dans la salle du conseil d'administration pour écouter « Ondes confidentielles », s'est vue dans l'obligation de le féliciter pour ce double coup éditorial. Deux exclusivités, la première interview d'Isabel Ferrer depuis la naissance de l'Association nationale des enfants volés et la réaction en studio du futur ex-juge Ponce, elle ne pouvait pas faire autrement. Le nom de la station a résonné partout durant deux jours, une publicité gratuite et qui tombe à point nommé pour se refaire une réputation et revendiquer son indépendance, toute relative quand même, vis-à-vis du pouvoir.

Diego a transformé son salon en véritable salle des archives. Il y en a partout. Sur la table, par terre, sur le canapé, jusque sur le comptoir de sa cuisine ouverte. Il a scotché des photos, la plupart anciennes, en noir et blanc, sur les murs, collé des Post-it là où il restait de la place. Un grand foutoir pour quiconque y mettrait les pieds, un bordel, certes, mais organisé pour le journaliste. Chaque document est à une place précise, à chaque Post-it correspond une interrogation. D'un côté, les papiers réunis par Isabel, classés par ordre chronologique. De l'autre, le rapport d'enquête d'Ana sur Pedro de la Vega, le notaire, et les procès-verbaux, accompagnés du rapport d'autopsie, des flics de Valence, sur sœur Mari-Carmen, qu'il a pu récupérer grâce à une connaissance, une ancienne source de la police à Madrid, mutée à Valence quelques années plus tôt. Dans un coin, des dizaines de photocopies de livres qu'il a ramenées de son passage à la bibliothèque. Il tourne en rond depuis un moment, une tasse de café à la main, une cigarette se consumant dans un cendrier plein, jetant un œil aux images, relisant un passage de la prose de la détective ou un extrait d'acte officiel signé du notaire, comparant les dates, cherchant un lien entre tout ça. Il ouvre la fenêtre histoire d'aérer un peu, il monte le son de sa chaîne qui diffuse en sourdine les *Nuits dans les jardins d'Espagne* de Manuel de Falla, un compositeur qu'il vénère par-dessus tout. Re-tour dans le salon. Re-coup d'œil aux photos. Re-lecture de documents. Il est un peu sec, il se sent dépassé par l'ampleur de la tâche. Il s'allume une nouvelle cigarette quand une idée vient lui titiller le cerveau. Il referme la fenêtre, arrête la musique et va chercher sur son ordinateur l'enregistrement de son entretien avec Emilia Ferrer. Il branche son casque et appuie sur la touche « Lecture » en essayant de relire ses notes prises au cours de sa rencontre avec la grand-mère de l'avocate. Il lui faut moins de trois minutes pour trouver ce qu'il cherchait inconsciemment. C'était là, sous ses yeux, ou plutôt dans ses oreilles. Il se collerait des baffes. « Mais que je suis con ! » se dit-il.

Pas le temps de savourer sa découverte. L'interphone sonne. C'est Ana qui arrive, tout essoufflée.

— Ouvre vite ! Il faut que je te parle !

La détective entre en trombe dans l'appartement sans même le saluer.

— Bonjour quand même, lâche un Diego piqué par la curiosité.

Il a rarement vu son amie dans cet état. Cherchant un endroit où s'asseoir et voyant qu'il ne reste pas un espace où poser ses fesses, elle reste debout et lui annonce, en hurlant presque, qu'elle a trouvé qu'il y avait un infiltré au sein de l'ANEV, qu'elle l'a identifié, qu'il s'agit de l'homme qui l'a agressé, lui, ainsi qu'Isabel, et qu'il fait partie des Chevaliers du Christ, une info qui lui a été confirmée par son contact au SCRI.

— La vache, je m'y attendais pas à celle-là ! Comment t'as fait pour le trouver ?

Ana s'apprête à se lancer dans une explication rapide, elle ouvre la bouche, se ravise.

— Attends, avant de te raconter, j'ai une, non, deux autres nouvelles. La première, c'est qu'Isabel est partie avec le SCRI. Ils la surveillaient depuis un moment et ils veulent lui parler en direct car les menaces à son encontre sont de plus en plus sérieuses. La seconde, c'est qu'elle va devoir aller à Paris, sa grand-mère est à l'hôpital, dans un état critique. Elle a fait une crise cardiaque.

— Merde ! J'espère qu'elle va s'en sortir. Dis donc, le SCRI est sur le coup ? Évidemment. C'est ton copain au moins ? J'imagine que oui si tu l'as laissée y aller…

— Ouais, c'est son équipe, heureusement. Avec lui, on sait qu'il n'y aura pas de coup fourré, c'est quand même un bon.

— Et un mec plutôt honnête, même si je ne sais pas si on peut dire ça de quelqu'un dont le métier est d'espionner ses compatriotes.

— Arrête, on va pas refaire un débat là-dessus. Tu sais que son boulot est nécessaire. Je te rappelle que, sans lui, les attentats de 2004 n'auraient pas été résolus et on serait encore en train de se dire que c'était ETA qui les avait perpétrés et pas Al-Qaïda.

— Je te l'accorde. Bon, vas-y, raconte…

En quelques minutes, elle fait un point précis. Elle lui explique que ses recherches sur les bénévoles n'avaient rien donné, d'autant qu'il lui manquait un certain nombre de noms. Elle décide alors de faire un saut à l'ANEV, afin de récupérer les identités des derniers adhérents et de ceux qui s'étaient récemment proposés pour aider l'association sans adhérer. Elle discute avec les membres du bureau, qui lui apprennent que l'ambiance commence à se dégrader depuis l'envoi des lettres anonymes. Elle fait alors un petit tour dans le local, afin de tâter un peu le terrain, de parler avec les gens, d'écouter ce qui se dit. Il y a beaucoup de monde car une grande manifestation est prévue dans quelques jours à Madrid. Certains préparent des banderoles, d'autres rédigent des tracts. Tous attendent ce moment avec impatience, tous espèrent que des milliers de personnes répondront à l'appel lancé via les réseaux sociaux et Internet, tous veulent croire que ce moment sera fondateur pour leur mouvement et qu'il obligera le gouvernement à agir dans leur sens. Plus il y aura de manifestants, plus la pression sera forte.

Alors qu'elle s'apprête à partir, elle jette un dernier coup d'œil dans la pièce où s'entassent les informaticiens. Son regard se porte sur l'un d'eux. Le nez collé à son écran, il semble ne pas trop prendre part aux conversations. Elle reste un moment à l'observer. Il est habillé en noir. Elle s'approche, il lève la tête, lui sourit. Le choc. Elle croit reconnaître l'homme des photos du SCRI. Tentant de masquer son trouble, elle engage la conversation, lui demande si tout va bien, depuis combien de temps il est là. Bref, une discussion en apparence anodine. Il répond d'une voix assez douce. Et, alors qu'il se penche en avant afin de brancher un disque dur sur son ordinateur, elle aperçoit son pendentif. Une croix rouge. La même que sur les images des agents du renseignement intérieur. Plus de doute possible, c'est lui. Elle repart sans rien dire à personne et appelle son contact au SCRI. Il lui confirme l'identité de l'individu et son appartenance aux Chevaliers du Christ. Son service l'a identifié il y a quelques jours à peine car il n'était fiché nulle part, mais n'a pu le mettre sous surveillance faute de moyens. Ces catholiques ultra-traditionalistes ne sont pas sur la liste des organisations terroristes, ils ne constituent pas une priorité, donc pas d'argent à dépenser pour ce genre de groupuscule. Ordre qui vient d'en haut. Le fait que le grand patron du SCRI soit un membre éminent de l'*Opus Dei* n'a, bien sûr, pas du tout influencé cette décision…

— Tiens donc, comme par hasard, ces tarés ne sont pas considérés comme dangereux pour la sécurité de l'État. On croit rêver ! s'emporte Diego.

— Prends pas la mouche. Comme les services ne peuvent officiellement rien faire, on a eu une idée, on va le piéger. On va se faire un malin plaisir de mettre en pratique une méthode ancienne mais efficace. Une petite manipulation bien sentie…

*

Il n'a fallu que quelques heures à Isabel pour atterrir à Paris. Après le coup de fil de sa mère et son passage dans les bureaux du SCRI, elle remet les pieds en France après dix-huit mois d'exil espagnol, vécus dans un état un peu second. La fatigue et le stress accumulés ces dernières semaines lui tombent dessus d'un coup. Ce n'est pas tant son détour par le Service central du renseignement intérieur qui la rend nerveuse, mais sa grand-mère. Elle ne sait pas exactement ce qui est arrivé à Emilia et dans quel état elle se trouve. Elle espère simplement que ce n'est pas trop grave. Mais pour que sa famille la fasse revenir d'urgence, elle se dit que le pire est à craindre.

Sa convocation au SCRI ne s'est pas prolongée plus que ça vu les récents événements. Elle a quand même passé un moment dans une salle sans fenêtres, au sous-sol du siège du Service, dans un immeuble d'apparence anodine situé sur la Gran Vía de Madrid, l'artère principale de la ville. Quand les deux agents chargés de la surveiller l'ont fait descendre et l'ont installée là, un petit vent de panique s'est emparé d'elle.

— C'est un interrogatoire officiel ? leur demande-t-elle alors, le ton de sa voix trahissant son angoisse.

— Non, ne vous inquiétez pas, lui répond l'un des flics. Notre chef d'unité arrive. Il veut juste vous parler.

Dix, quinze, vingt, trente minutes passent. Une attente interminable. Isabel ne bouge pas de sa chaise. Les mains moites, elle tente de relever ses mails sur son Smartphone. Peine perdue. Pas de réseau. Enfin, un homme entre sans frapper. Pas très grand, il marche lentement en boitant et en s'appuyant sur une canne. Il paraît si fatigué et si vieux, alors qu'il a tout juste soixante ans. Chauve, les yeux bleus, un bouc gris et de fines lèvres, avec une voix de baryton surprenante, qui jure avec son physique. Un dossier sous le bras, il se dirige vers Isabel et lui tend une main qu'elle ne saisit pas. Il n'a pas l'air d'en prendre ombrage.

— Bonjour, je suis Nicolás Ortíz. Désolé pour cette attente et ce rendez-vous un peu impromptu dans un endroit pas très avenant. Je vous rassure tout de suite, je suis un vieil ami d'Ana Durán, vous n'avez rien à craindre. J'ai appris pour votre grand-mère, j'en suis désolé. Je ne vais pas vous retenir trop longtemps du coup, pour que vous puissiez la rejoindre au plus vite. Mes hommes pourront vous accompagner chez vous puis à l'aéroport si vous le souhaitez. Mais je voulais vous voir pour vous parler des menaces à votre encontre. Elles se font de plus en plus pressantes et assez précises pour que nous les prenions très au sérieux.

— C'est pour cela que vous me surveillez ? Pour me protéger ? Ou bien pour rapporter le moindre de mes faits et gestes à vos supérieurs, qui à leur tour les remonteront plus haut, au gouvernement ?

Ortíz sourit. Il s'attendait à ce genre de réflexion. Isabel, malgré son anxiété, n'a pas pu s'empêcher cette provocation.

— Ana m'a prévenu que vous aviez du caractère, vous en donnez ici la preuve. Je comprends votre réaction. Laissez-moi juste vous dire une chose : mon équipe et moi-même ne sommes pas au service des politiques qui dirigent ce pays. Nous sommes au service de la nation et de nos concitoyens. Sans exception aucune. Oui, vous avez été surveillée. Disons qu'il s'agit là d'une réaction normale, vous en conviendrez. Vous débarquez comme ça de nulle part et vous provoquez, en une conférence de presse, un sacré bordel, pardonnez-moi l'expression. Mais tous les agents du SCRI ne sont pas d'immondes fachos, des nostalgiques de Franco ou des militants de l'AMP. Bien au contraire. Nous sommes les gardiens de notre démocratie. Ça peut vous paraître pompeux, mais c'est la réalité. Renseignez-vous, demandez à Ana qui je suis par exemple. Elle vous confirmera mon surnom dans cette honorable maison : *El Rojo* [Le Rouge]. Je vous laisse deviner pourquoi mes collègues m'appellent ainsi…

Après cette mise au point, Ortíz lui fait part de quelques éléments de l'enquête que son groupe a menée et il lui montre des photos anthropométriques de son agresseur. Elle a du mal à le reconnaître. Elle est surtout effarée d'apprendre qu'une organisation comme les Chevaliers du Christ, dont elle ignorait jusqu'ici l'existence, cherche à la faire taire. Elle a entendu bien des choses sur l'*Opus Dei*, mais qu'une scission ait eu lieu au sein de ce mouvement à l'initiative d'un groupuscule violent de nostalgiques de la messe en latin la surprend plus que tout.

Elle aura bien le loisir d'y songer un peu plus tard. Sa priorité, là, maintenant, tout de suite, c'est sa grand-mère. Elle a sauté dans un taxi à peine descendue de l'avion. Pas le temps pour la nostalgie, direction l'hôpital Bichat, dans le 18e arrondissement de Paris. Une fois sur place, elle perd un temps fou dans ce grand complexe hospitalier, s'égare dans les étages, avant de trouver enfin la chambre de sa grand-mère. Un calme étrange règne dans le couloir désert. Elle frappe à la porte, entre sans attendre la réponse. Sa grand-mère est là, allongée sur le lit, les yeux fermés, la tête relevée et maintenue par deux oreillers, pâle, presque grise. Elle ne bouge pas. Elle semble dormir. À son chevet, sa mère, les yeux rougis. Quand elle voit Isabel, elle se lève, s'approche de sa fille pour la serrer dans ses bras.

— C'est fini, lui murmure-t-elle dans le creux de l'oreille. C'est fini. Mamie est partie. Elle repose en paix désormais.

— Oh, Mamie, non !

Et les larmes qui viennent. Incapable de les contrôler, de les arrêter. De bouger, de s'avancer vers le corps d'Emilia pour lui déposer un baiser sur le front, comme elle avait l'habitude de le faire, une dernière fois.

Isabel est en état de choc. Elle n'a presque aucun souvenir des deux jours qui ont suivi son arrivée à Paris, comme si elle ne les avait pas vécus, comme si le temps s'était immobilisé jusqu'aux obsèques. C'est là, au cimetière de Montmartre où Emilia a rejoint son mari, une concession acquise il y a fort longtemps, peu après leur arrivée en France au début des années cinquante, que l'avocate s'est subitement réveillée, qu'elle a pris conscience de la perte de sa grand-mère. Et qu'elle s'est sentie si seule tout d'un coup. Un vide immense comblé par intermittence par ses pensées pour Diego. Elle se surprend à avoir envie qu'il soit là, près d'elle. Une cérémonie courte, émouvante, dans l'intimité. Tout de suite après, Isabel décide de faire une ultime visite à l'appartement de la rue Lamarck. Là où elle a vécu une bonne partie de son enfance. Jeter un dernier coup d'œil à l'endroit où elle a quasiment été élevée par ses grands-parents, où elle a tissé des liens si forts avec Emilia. Des heures de jeux, de discussions, de lectures. Des liens qui ont fait d'elle la femme qu'elle est devenue aujourd'hui, influencée par cette grand-mère qu'elle vénérait par-dessus tout, qui lui a appris à lire, à écrire, qui lui a transmis son savoir tout en la laissant libre de faire ses propres expériences. Prendre quelques souvenirs. Il y en a tant ! Récupérer des vieilles photos. Avant de fermer la porte définitivement. Et de repartir pour Madrid. Hors de question de rester une journée de plus en France. Trop dur. Trop de travail l'attend en Espagne. Trop d'événements se bousculent.

Au moment même où l'avocate enterrait sa grand-mère, la manifestation organisée par l'Association nationale des enfants volés démarrait. Un immense cortège, avec à sa tête une banderole blanche sur laquelle un seul mot est écrit en lettres capitales : « *JUSTICIA* ». Tout le bureau de l'ANEV est en première ligne. Derrière, des milliers, des dizaines de milliers même de personnes, habillées en blanc, ont répondu à l'appel. Il y a là des familles entières, des femmes, des hommes, des vieux, des jeunes. Un rassemblement monstre, au-delà des espérances des organisateurs. Au point que le service d'ordre paraît débordé. Ils marchent en silence. Comme à chaque fois, la bataille des chiffres fait rage. Ils sont plus de 150 000 selon l'ANEV, 50 000 selon la police. Au milieu de la foule compacte, certains brandissent des photos, d'autres ont confectionné des pancartes sur lesquelles ils ont rédigé des messages souvent poignants : *« Je cherche mes jumeaux, nés en mai 1973 à Madrid », « Aidez-moi à retrouver ma fille, née en août 1982 à Valence »*. Parfois revendicatifs : *« Tu as acheté ton fils, rends-le ! »* D'autres interrogatifs : *« Où sont les bébés volés ? »* Une dame d'une soixantaine d'années, maquillée et pomponnée comme si elle allait à un mariage, tient dans ses bras une poupée, un jouet dont elle a recouvert le visage rose d'un grand point d'interrogation. Autour de son cou, sur un bout de carton, une date sous laquelle se dessine une petite tête toute noire et une question : *« 5 avril 1976. Où es-tu mon amour ? »* Au-delà des revendications légitimes des participants réclamant que justice soit faite, ce qui frappe c'est le nombre d'avis de recherche brandis très haut par des mères qui, pour la première fois, ont le courage de parler, de se montrer à visage découvert, d'accuser l'Église, les politiques, les médecins, d'être complices d'enlèvements, d'avoir gagné beaucoup d'argent en organisant ce trafic en toute impunité.

Quand les premiers manifestants arrivent à la Puerta del Sol, toujours sans dire un mot, les derniers ne sont pas encore partis du point de départ, situé non loin du parc du Retiro. Il est clair que tous ne pourront pas atteindre la place du centre-ville. Une fois la capacité maximum du lieu atteinte, les rues piétonnes adjacentes sont envahies. Puis les premiers applaudissements se font entendre. Petit à petit, tout le monde commence à frapper dans ses mains. Durant cinq bonnes minutes, cette partie de la ville n'est plus qu'un tonnerre de bruit, qui résonne tel un concert de percussions.

La police veille aussi au grain. Des éléments anti-émeutes ont été disposés tout au long du parcours, les services de renseignements se frayent un passage comme ils peuvent ou se sont postés aux balcons des appartements donnant sur le parcours et sur ceux de la mairie pour prendre des photos et filmer ce qui se passe. Le but est d'éviter que la manifestation ne dégénère, que des éléments perturbateurs, des casseurs, des militants d'extrême droite, ne viennent semer le désordre. Le risque est réel. La fachosphère a bien évidemment appelé ses militants à affronter ces « anti-Espagnols », ces « Rouges », ces « anti-patriotes ». Ce qui ne manque pas d'arriver quand, au bout de deux heures, la majorité des gens commencent à se disperser pour rentrer chez eux. Une trentaine de gars cagoulés débarquent, barres de fer à la main pour certains, casques de motos en bandoulière pour d'autres, et se mettent à saccager les deux kiosques à journaux situés au milieu de la place, sous les sifflets de la foule. Un petit groupe de manifestants tente de s'interposer. Les forces de l'ordre réagissent plutôt rapidement et parviennent à stopper dans l'œuf cette tentative de déstabilisation. Quelques coups sont échangés, des gaz lacrymogènes envoyés, des interpellations ont lieu.

Malgré ces échauffourées, le succès est là. L'ANEV a réussi son pari et un véritable tour de force. À part les perturbateurs de la fin, tout s'est passé dans le calme. Dans la dignité aussi. Pas un slogan prononcé à haute voix. Pas un dérapage verbal. Une déclaration unique, lue devant un mur de caméras et de micros. Les chaînes info qui ont suivi l'événement en direct. Des médias étrangers qui ont dépêché sur place leurs correspondants ou qui ont même envoyé des reporters pour l'occasion. Des images qui tournent en boucle depuis des heures. Des artistes qui ont fait le trajet, d'autres qui ont posté des messages de soutien sur leurs sites, leurs pages Facebook, leurs comptes Twitter. Le gouvernement va devoir agir. Réagir plutôt. Il ne peut pas rester sans rien dire ni faire. Ne serait-ce que pour cette raison, il se trouve dans l'obligation de reconnaître qu'il y a effectivement un problème, que quelque chose ne tourne pas rond au royaume d'Espagne. Il va tenter de le minimiser, de le réduire au régime franquiste, à une autre époque, à un autre temps, à d'autres mœurs. Cela risque de ne pas être suffisant pour autant.

15

Ça ne lui était pas arrivé depuis très longtemps. Diego ne sait plus quoi faire ni quoi penser. Il a retourné les infos cent, deux cents fois dans sa tête. Vérifié et relu les documents, réécouté son entretien avec Emilia Ferrer. Pour arriver à une conclusion qui ne lui plaît pas. Les meurtres de la bonne sœur et du notaire sont liés ; ils doivent être le fait de la même personne. Et, surtout, il pense qu'Isabel sait quelque chose, plus qu'elle n'en a dit jusqu'à présent. Il n'imagine pourtant pas que l'avocate puisse être la meurtrière. Il n'ose le croire. Comme il a tout de même du mal à se dire qu'elle en est la commanditaire. Mais les faits sont là, ils ne mentent pas. Ce qui relie sœur Mari-Carmen et Pedro de la Vega, ce sont des papiers officiels datés de 1946. Un acte de décès d'une maternité madrilène, une demande d'adoption le même jour. Les dates correspondent avec celles de l'accouchement d'Emilia. Elles sont la preuve, selon lui, qu'elle dit vrai, que l'enfant qu'elle a mis au monde ce jour-là lui a très probablement été volé, arraché et vendu à une autre famille comme une vulgaire marchandise. Elles peuvent, aussi, constituer un excellent mobile…

Diego Martín ne voit qu'une seule solution : lui demander directement des explications. Mais il va devoir patienter un peu, attendre qu'elle rentre de Paris. Elle doit être profondément marquée par la perte de sa grand-mère, dont elle était très proche. C'est ce qu'elle lui a raconté l'autre soir, au bar, quand ils ont passé la nuit à étudier les dossiers qu'elle lui avait apportés. Le problème, c'est que la patience, dans ce genre de cas, ce n'est pas trop son fort. Autant il peut être d'un calme et d'un zen sans équivalent quand il s'agit d'une enquête, autant il se révèle fougueux, voire irritable, quand il s'agit de la vie privée. Et là, même s'il ne veut pas se l'avouer, il est en train de faire de cette investigation sur un scandale d'État une véritable affaire personnelle. Son attirance pour Isabel, qu'il pense réciproque vu le baiser qu'elle lui a déposé au coin des lèvres, lui joue un tour auquel il ne s'attendait pas. Et il se pose des questions du coup. Il n'ose pas imaginer qu'elle y soit pour quelque chose… ou est-ce plutôt qu'il ne veut pas y croire ? Simplement parce qu'il envisage une relation avec elle. Et puis, s'il s'avère qu'elle est impliquée, d'une manière ou d'une autre, dans la mort de ces deux personnes, comment va-t-il réagir ? Cela va-t-il changer son attitude à son égard ? Forcément, oui. Mais de quelle façon ?

Avant de répondre à toutes ces questions, il a une bonne semaine devant lui pour continuer à enquêter. Une semaine avant qu'Isabel ne rentre à Madrid. Une semaine pour vérifier toutes les pistes, toutes les hypothèses. Et pour ça, il a besoin d'Ana et de ses précieux contacts chez les flics et les espions. Il sait qu'elle travaille dur en ce moment, mais un bon brainstorming s'impose. Elle s'est rapprochée de l'avocate ces derniers temps, elle lui a peut-être dit des choses qui peuvent paraître sans importance de prime abord mais qui, vu les circonstances, permettraient d'éclaircir certaines zones d'ombre.

Quand il lui fait part de ses doutes, elle ne dit rien au départ. Diego avait besoin de prendre un peu l'air, il l'a donc retrouvée à son agence. Elle l'a écouté parler, en fronçant les sourcils parfois, en hochant la tête à d'autres moments, en prenant quelques notes aussi. Elle se lève, fait le tour de son bureau, allume une cigarette et s'affale de tout son long sur son fauteuil club en poussant un long, un très long soupir.

— Tu me tues, là, Diego… J'arrive pas à être convaincue par ce que tu dis et en même temps, quand on regarde froidement les faits, ta théorie, elle tient.

Puis le silence. Ils restent longtemps sans parler, sans même se regarder, les yeux plutôt dans le vague, réfléchissant chacun de leur côté, essayant tant bien que mal de digérer cette possibilité et tentant de relier les fils manquants. La grande question à laquelle ils ne peuvent pas répondre à cet instant précis est : « Pourquoi ? » Ana veut en avoir le cœur net. Et avant même que Diego ne lui propose d'essayer de rassembler quelques infos supplémentaires du côté de la police et des services, elle décroche son téléphone, en lui annonçant qu'elle appelle Ortíz au SCRI.

— On sera fixés comme ça.

Quelques minutes de conversation et un rendez-vous discret est calé pour le lendemain. Dans la voix de son interlocuteur, Ana a cru déceler de la surprise quand elle lui a fait part de sa demande. Elle espère avoir des réponses dans moins de vingt-quatre heures. Ce qui lui laisse le temps de peaufiner son piège pour mettre hors d'état de nuire l'infiltré de l'ANEV. Elle explique son plan à Diego. Gros fou rire. C'est sûr, les Chevaliers du Christ vont moyennement apprécier…

Elle propose à Diego de l'accompagner. Elle doit voir ses copines prostituées pour finaliser les derniers détails. Pas question de se louper. D'autant que depuis la grande manifestation de l'autre jour, le climat s'est encore tendu et le pays est vraiment scindé en deux. Une frange composée de nostalgiques de Franco, de catholiques traditionalistes, de réactionnaires, commence à montrer des signes de forte nervosité. La façade de l'ANEV a été taguée. Le site internet a subi de nombreuses attaques informatiques qui, cette fois, ont pu être déjouées. Des rassemblements de gens bien propres sur eux sont organisés au quotidien devant le siège de l'association. Des militants de mouvements politiques ou religieux extrémistes se postent sur le trottoir et conspuent tous ceux qui entrent dans le bâtiment. Ils leur jettent parfois des œufs ou des tomates. Plus l'action de l'ANEV trouve un écho grandissant dans la population et dans les médias (étrangers surtout), plus ils agissent de manière violente. Un matin, c'est même un camion rempli de fumier qui est venu décharger sa cargaison puante à la porte du local, sous les applaudissements de ces tarés. Il y avait aussi un prêtre, un chapelet à la main, à genoux, récitant le *Je vous salue Marie* en latin.

De l'autre côté, la résistance s'organise. Avec l'appui de certaines organisations de gauche (partis, syndicats, ONG), l'ANEV grandit et se structure de manière plus professionnelle. Une nécessité. Des délégations régionales commencent à se monter dans plusieurs villes du pays et surtout, des manifestations plus ou moins spontanées ont lieu au quotidien. Saragosse, La Corogne, Séville,

Gijón, Salamanque entre autres, ont eu droit à leur marche blanche. En pleine semaine, celles-ci ont, à chaque fois, rassemblé des milliers de personnes. La contestation monte sérieusement. Et les échauffourées ont continué d'émailler la fin des cortèges. Les affrontements entre les pro- et les anti-ANEV sont de plus en plus violents, les flics commencent à perdre patience et à tirer dans le tas, provoquant des blessures parfois graves. Ce fut le cas à Gijón. Les habitants de cette ville du Nord, historiquement à la pointe des plus gros mouvements contestataires (entre un chantier naval et une région de mineurs, le terrain est fertile), n'ont pas peur d'aller au combat. Là, au cours d'un rassemblement, les choses ont mal tourné. Des militants d'extrême droite ont voulu en découdre et se sont fait recevoir par les mineurs, plus habitués qu'eux au combat de rue. Le problème est qu'un gamin de huit ans a perdu un œil dans l'histoire. Un tir de Flash-Ball quasiment à bout portant. Du coup, le ministre de la Justice a été obligé de présenter sa démission. Une diversion, destinée à calmer le jeu, à faire croire que le pouvoir entend la rue, qu'il n'est pas débordé, qu'il prend des initiatives.

Une stratégie qui ne parvient pourtant pas à masquer le vrai visage de ce gouvernement. La dernière décision prise par ce ministre, avant de quitter son poste, a été de limoger le juge David Ponce, sans même attendre la tenue de son procès. Viré sur-le-champ. Quant à savoir ce qu'il adviendra de l'enquête qu'il a ouverte sur les bébés volés, autant dire qu'elle se retrouve maintenant enterrée et enfermée à double tour dans les sous-sols du Palais de justice. Tout pouvait changer, finalement, rien n'a changé. Les gouvernants de ce pays se cramponnent comme ils peuvent à leurs privilèges. Et protègent toujours ceux qui, d'une manière ou d'une autre, les ont placés là pour qu'ils prennent bien soin d'éviter de faire bouger les choses. Leur leitmotiv : le *statu quo*. Ils ont réussi à passer entre les mailles du filet de la justice grâce à la loi d'amnistie, pas question pour eux qu'une avocate arrivée de France foute tout en l'air. À la limite, ils n'en ont rien à faire de savoir si cette histoire de bébés volés est vraie ou pas. Ce qui leur importe, c'est de continuer à vivre comme avant. La crise ? Ils ne savent pas ce que c'est avec leurs comptes à l'étranger et leurs fiscalistes. Un trafic de mômes ? Ce ne sont pas quelques gamins placés dans des familles aisées que l'on va plaindre tout de même…

Sur le chemin qui les mène vers l'endroit où Ana doit retrouver ses anciennes collègues, Diego tente de savoir si Isabel lui a parlé. Mais non. Rien. Elle lui a raconté brièvement l'histoire de sa grand-mère, sans plus de précisions, sans dates, sans noms. Le journaliste est un peu déçu. La détective le sent bien.

Elle n'aime pas voir son ami comme ça et fait tout pour lui changer les idées. Invariablement pourtant, la conversation revient sur ces deux meurtres, sur ce qu'ils ont en commun, sur ce qu'ils impliquent aussi. Ana le lui a déjà expliqué un peu plus tôt, sa théorie est possible, voire probable, même si elle ne parvient pas à se dire que l'avocate en est l'instigatrice, pour ne pas dire l'exécutrice. Car c'est bien de cela qu'il s'agit, d'exécutions pures et simples, à la manière des règlements de comptes entre mafieux. Et puis, lui demande-t-elle d'abord pour tenter de contrecarrer son hypothèse, pourquoi s'arrêter à ces deux personnes uniquement ? N'y a-t-il pas eu d'autres assassinats au cours des mois précédents, avec le même mode opératoire, qui pourraient être liés ?

— Il faudrait voir ce que les flics ont comme enquêtes en cours, voir s'il y a des meurtres non élucidés, poursuit la détective. Tiens, pourquoi pas le meurtre de Paco Gómez le soir des élections tant qu'on y est ? Son père gravitait dans la sphère proche de Franco, rappelle-toi. La façon dont on l'a tué correspond aussi aux deux autres.

— Déconne pas… Si tu dis vrai, tu ne fais que conforter ma théorie. On devrait peut-être essayer de récupérer les P-V des dossiers, juste pour voir. On a négligé un truc dans tout ça il me semble… La balistique. T'as pas moyen de récupérer les rapports ? Si c'est la même arme, on peut être à peu près sûrs que c'est le même tueur.

— Ou la même tueuse…

— Ce serait dingue ! Après, si ce n'est pas le même flingue qui a servi pour le notaire, la bonne sœur et – allons-y – pour l'élu, ça ne veut rien dire non plus.

Ils arrivent devant une discothèque encore fermée en ce milieu d'après-midi, haut lieu des nuits chaudes de Madrid. *La Arena*, lieu atypique qui accueille la communauté transsexuelle de la capitale. Ana sonne. Les deux s'engouffrent rapidement dans la boîte de nuit encore plongée dans la pénombre, où plusieurs personnes sont déjà là, assises dans des fauteuils et des canapés en tissu rouge, sirotant quelques cocktails en écoutant de la cumbia, un air de Colombie, mélange de rythmes caribéens et de techno. Après les embrassades, il est temps de passer aux choses sérieuses. Plus de musique. Lumières allumées. Deux tables sont rapprochées, sur lesquelles sont disposés un appareil photo, un ordinateur portable, plusieurs photos d'un homme derrière un ordinateur et dans la rue, un plan de la ville où plusieurs croix ont été dessinées au marqueur.

* * *

Dix jours. Isabel sera finalement restée dix jours à Paris. Plus qu'elle ne l'imaginait. Le temps d'enterrer sa grand-mère, de se retrouver un peu seule, loin du tumulte de Madrid. Le temps de prendre un peu de recul. De se rendre compte, aussi, que Diego lui manquait. Elle a refusé de poser sa valise chez ses parents et a préféré prendre une chambre dans un hôtel confortable. Elle n'a pas complètement coupé les ponts avec les événements en Espagne et a fait un point quotidien au téléphone avec l'un ou l'autre des responsables de l'ANEV. Le mouvement prend une ampleur à laquelle elle ne s'attendait pas. En même temps, cela prouve qu'elle est dans le vrai, que ces premiers dossiers déposés par une poignée de familles qui recherchent leur enfant depuis des années, qui n'ont jamais baissé les bras, qui ont toujours eu des doutes sur ce que les autorités leur ont dit, qui ont surtout toujours cru que leurs gamins étaient vivants, ces premiers dossiers donc ne sont qu'une infime partie de ce qu'il s'est réellement passé. Des centaines, des milliers d'autres peut-être sont en cours de constitution. Il y avait les disparitions forcées dans les dictatures latinos, il y aura maintenant, elle en est persuadée, les bébés volés du franquisme. Combien sont-ils ? L'Espagne n'a pas d'autre choix que de faire la lumière sur ce scandale si elle veut pouvoir se regarder en face. Mais le gouvernement ne semble pas vraiment disposé à ce que la vérité éclate.

De retour depuis quelques heures à peine, l'avocate n'a pas chômé. Passage à l'ANEV, passage chez elle. Et maintenant, passage au SCRI. Un retour programmé au siège pour reprendre une conversation entamée juste avant son départ pour la France. Entre-temps, elle a envoyé un message à Ana et Diego pour les prévenir qu'elle était rentrée. La voici de nouveau dans la même pièce sans fenêtres, assise sur la même chaise que la dernière fois, mais moins nerveuse. Elle a eu l'occasion, avant de prendre son avion, de parler avec Ana. Celle-ci lui a confirmé que Nicolás Ortíz, le chef de l'équipe du SCRI chargée de sa surveillance, est un de ses amis et qu'elle peut lui faire confiance. Elle lui a raconté pourquoi il boite. Une balle dans la jambe, reçue il y a des années au cours d'une intervention, une arrestation mouvementée d'une cellule active de l'ETA, qui l'oblige à s'appuyer sur une canne. Quand il arrive, elle lui serre la main, pour lui montrer d'un geste qu'elle a suivi son conseil et discuté avec leur amie commune.

— Toutes mes condoléances d'abord, je crois que vous étiez très proche de votre grand-mère. Bon, je n'ai pas voulu vous en dire trop l'autre jour, mais là, il faut vraiment qu'on parle sérieusement de plusieurs choses. D'abord, votre sécurité. Ensuite, ce sera un peu plus délicat.

— Je vous écoute. Mais vous m'intriguez avec tout ce mystère. Qu'est-ce qui peut être plus délicat que des menaces de mort ?

Silence pesant. Puis Ortíz se lance dans un long monologue sur le pourquoi et le comment elle a été surveillée. Plus il parle, plus il entre dans les détails. Et plus Isabel sent comme un étau se resserrer sur elle. Ils ne l'ont pas lâchée d'une semelle depuis la conférence de presse de lancement de l'ANEV. Elle se doutait qu'elle aurait affaire à eux, pas forcément de manière si quotidienne. Bien sûr qu'elle a imaginé que le service du renseignement allait tenter de savoir qui elle était, mais deux hommes à ses basques tous les jours, vingt-quatre heures sur vingt-quatre depuis tant de mois, le gouvernement n'a pas lésiné sur les moyens. Même si cet Ortíz est un proche d'Ana, s'il est considéré comme étant marqué à gauche, s'il jouit d'une bonne réputation, s'il lui redit que cette surveillance était avant tout destinée à la protéger discrètement plus qu'à l'espionner, elle n'en mène pas large.

Son discours est clair, précis, sans fioriture. Il l'informe des différentes actions que son service a menées ces derniers temps, quand les menaces à son encontre se sont faites plus virulentes. Il apparaît qu'en plus des Chevaliers du Christ, plusieurs organisations classées à l'extrême droite s'y sont mises. Pas de surprise sur la provenance des lettres anonymes reçues, des messages envoyés, des textes insultants, parfois d'une grande violence, diffusés sur de nombreux sites et réseaux sociaux. L'anonymat d'Internet permet à certains de se lâcher. Il a fallu faire le tri entre les commentaires de simples réacs et les paroles plus posées mais pas moins violentes de quelques véritables illuminés. Des proches de certaines organisations politiques ou religieuses ont été placés sur écoute, afin d'éviter qu'un déséquilibré, le cerveau essoré, ne commette l'irréparable. Le siège des Chevaliers du Christ fait aussi l'objet d'une attention particulière, de manière très discrète même au sein du SCRI, vu la proximité du grand patron avec les catholiques traditionalistes.

En résumé, Ortíz estime que le risque pour Isabel est très élevé. Elle a déjà été victime d'une agression, sans trop de dommages. La prochaine pourrait avoir des conséquences plus dramatiques. Il ne lui propose pourtant pas une protection rapprochée. Il ne la lui conseille même pas à vrai dire.

La seconde partie de son long discours, qu'Isabel a écouté jusqu'ici attentivement sans oser l'interrompre, va l'obliger à réagir. Elle va devoir, surtout, la jouer de manière assez fine. Car il lui annonce que de forts soupçons pèsent sur elle concernant plusieurs crimes.

— Je ne vous accuse de rien pour le moment, soyons clairs. Mais nous avons des images de vidéosurveillance vous montrant non loin du parking où Pedro de la Vega a été assassiné. De même, nous savons que vous étiez à Valence le jour où sœur Mari-Carmen a été tuée. Nous avons pu également vérifier que vous avez pris un billet de train pour Barcelone à la date où Juan Ramírez, médecin de son état, a été retrouvé mort dans une ruelle du quartier Gótico. Enfin, des éléments concordants nous permettent de dire que vous êtes passée par La Moraleja quand le président de la Caisse d'épargne de la Méditerranée a reçu une balle dans la tête alors qu'il faisait son jogging…

Chaque phrase prononcée par le chef d'unité du SCRI lui fait l'effet d'un coup de massue. Respirer. Ne pas paniquer. Réfléchir vite. Ne rien montrer. Isabel se racle la gorge avant de parler.

— Donc, vous m'accusez d'être une tueuse, c'est ça ?

— Non, comme je viens de vous le préciser, je ne vous accuse de rien, je vous fais juste part de certaines coïncidences, nous allons dire malheureuses, entre votre emploi du temps et des faits très graves, puisque nous parlons de l'assassinat de plusieurs personnes. Mais je suis sûr qu'il y a une explication et que vous allez me la donner…

— Je ne vous dirai rien. Tout ce que vous venez de raconter n'est que supputations. Vous n'avez aucune preuve.

— Bien, sachez qu'en ce moment même, deux de mes hommes visitent votre appartement. Peut-être que cela vous fera changer d'avis. En attendant, je vais vous demander de patienter ici, le temps qu'ils me fassent leur rapport.

— Mais c'est illégal ! Comment sont-ils rentrés chez moi ? Sous quel prétexte ?

— Madame, votre sécurité et celle de l'État imposent parfois de flirter avec la loi. Surtout quand il s'agit d'une question de vie ou de mort…

16

Quand l'annonce du limogeage de David Ponce est tombée, il était avec Diego, dans leur bar habituel. La direction de Radio Uno a finalement cédé et accepté qu'il conserve sa chronique, d'autant qu'il refuse d'être payé. Elle ne pouvait pas se passer d'un tel nom, d'une telle publicité, qui plus est gratuite. Ils préparaient donc la prochaine émission et son intervention à l'antenne quand son téléphone a sonné. Plus affecté par la nouvelle qu'il ne l'aurait cru, il a tout de même payé une tournée à tous les clients pour célébrer ce qu'il a osé appeler sa « libération ». Les deux complices ont trinqué et, une fois l'information digérée, ils ont continué à parler comme si de rien n'était. Enfin, presque. Pour être tranquille, Ponce a coupé son portable. Pas envie de répondre aux sollicitations des médias. Plus rien ne l'oblige à se montrer et il ne va pas plus mal s'en porter. Le désormais ex-juge a déjà une idée très précise de sa reconversion. Il en avait fait part à Diego au moment de sa mise à pied, pour avoir aussi son sentiment. Dès demain, une fois son inscription validée, il passera donc de l'autre côté de la barre. De l'accusation à la défense. Avocat. Commis d'office pour l'instant. Il verra bien par la suite s'il intègre un cabinet (si on veut bien de lui) ou s'il ouvre le sien (ce qui semble le plus probable).

Pour le moment, la question tourne encore autour des bébés volés. Ils lui ont coûté sa place, certes, mais sa décision ressemble fortement à un acte manqué. Il évoque avec Diego son état d'esprit, lui dit qu'il commençait à en avoir assez de son boulot, qu'il était fatigué des pressions, des dossiers qui s'accumulent, du peu de moyens mis à sa disposition, de la dépendance de la magistrature vis-à-vis des politiques. « Inconsciemment, l'ouverture d'une enquête sur ce sujet était peut-être une manière de dire stop sans vraiment me l'avouer. Ça m'a permis d'éviter le burn-out. »

Futur avocat, futur collègue d'Isabel Ferrer, il a beaucoup de mal avec la théorie du journaliste. Selon lui, il existe en effet pas mal de similitudes entre les meurtres mentionnés, mais rien ne vient nourrir son idée qu'Isabel a quelque chose à voir avec tout ça. Ana n'a pas encore vu son contact au SCRI, qui a décalé deux fois leur rendez-vous.

Mieux vaut attendre avant d'accuser la jeune femme de quoi que ce soit. Justement, ce qui commence à agacer Diego, c'est qu'elle semble l'éviter. Depuis qu'elle est rentrée de Paris, ils ne se sont pas vus, se sont à peine parlé une fois au téléphone et ont juste échangé quelques messages. Comme si elle voulait couper le contact. Comme si elle se doutait de quelque chose. Non pas qu'ils soient devenus proches et intimes en l'espace d'une nuit de travail dans un troquet, mais ils sont embarqués sur le même bateau, dans la même galère. Et puis, il aimerait juste la revoir. Tant qu'il n'aura pas plus d'informations, notamment en provenance du SCRI, il ne lui dira rien de toute façon. Mais il sent qu'elle a changé. Il préfère, pour l'instant, mettre ça sur le compte du deuil, de la perte de sa grand-mère et de la masse de travail qu'elle doit abattre au sein de l'ANEV. Il espère vraiment que c'est de cela qu'il s'agit et pas d'autre chose de plus grave.

La nuit est tombée et Diego propose à David de poursuivre la soirée chez lui. Au programme, bière, charcuterie et clopes. Sa prochaine émission étant plus « classique », c'est-à-dire qu'elle ne sera pas cette fois consacrée au scandale, il a l'impression d'être quasiment en vacances. Son conducteur est finalisé et il a déjà monté la grande interview qu'il diffusera, celle de Jo Nesbø, un auteur norvégien qu'il adore, le seul écrivain de polars nordiques qu'il arrive à lire. Ne lui reste plus que quelques détails à peaufiner, autant dire rien. Même si l'affaire des bébés volés est loin d'être terminée, que le pays continue de s'écharper autour de ce scandale, il a estimé qu'une pause était nécessaire, du moins pour cette semaine. « Ondes confidentielles » reprend donc son cours normal, avant, très certainement, d'en remettre une couche.

Dans un autre quartier de la ville, loin de Malasaña et de l'appartement de Diego, un homme est assis sur son canapé, la tête baissée comme s'il s'était endormi devant la télé allumée. De sa fenêtre, on aperçoit des gyrophares. Plusieurs voitures de police viennent de se garer, une ambulance arrive sirène hurlante. L'homme ne bouge pas. Des policiers en uniforme montent jusqu'au troisième étage et frappent à la porte. Celle-ci est entrouverte. Ils appellent, demandent s'il y a quelqu'un et s'ils peuvent entrer. Pas de réponse. Ils dégainent leurs armes de service et pénètrent dans le petit deux-pièces. En face d'eux, dans ce qui fait office de pièce à vivre, ils aperçoivent le cadavre de l'informaticien bénévole de l'ANEV, militant des Chevaliers du Christ, agresseur d'Isabel et de Diego. Encore chaud. Les voisins ont appelé la police il y a dix minutes environ en disant qu'ils avaient entendu un coup de feu.

À première vue, il s'agit d'un suicide. À première vue seulement.

Quand la brigade criminelle et l'équipe de la scientifique débarquent, leurs constats sont sans appel. Ils sont face à une scène de crime. Un meurtre qu'on a voulu maquiller et faire passer pour un suicide. Plusieurs éléments ne collent pas. L'arme retrouvée près de la main de la victime – ils viennent de découvrir son identité : Pablo Martínez, trente-deux ans, né à Pampelune – n'a pas pu arriver là toute seule. S'il s'était suicidé, ils l'auraient retrouvée par terre. La position du corps aussi ne laisse planer aucun doute. S'il s'était vraiment tiré une balle dans la tête, il ne serait pas resté assis, il aurait été projeté sur le côté. Les éclaboussures et les taches de sang indiquent enfin que le tireur se tenait certes très près, quasiment à bout portant, mais debout tandis que sa victime était assise. Sur la table basse, les enquêteurs trouvent une feuille blanche sur laquelle est inscrit le mot « pardon » et plusieurs photos. Ils y découvrent la victime dans ce qui ressemble à une soirée sadomasochiste avec des travestis et des transsexuels.

La perquisition commence dans cet appartement rempli de reliques religieuses (des statuettes représentant différents saints, la Vierge Marie, le Christ). Sur les murs, de vieilles photos en noir et blanc de prêtres, des crucifix, des lithographies, des textes en latin dans des cadres. Une vraie cellule de moine. Les images trouvées dans le salon jurent avec cet environnement. Dans la chambre, un matelas à même le sol et, sur un bureau, un ordinateur portable et plusieurs tracts des Chevaliers du Christ, des tas de papiers et d'autres photos. Isabel Ferrer de loin, puis en gros plan, dans la rue, dans des bureaux. Sur un Post-it, une date et une heure sont écrites à côté d'un dessin qui en dit long, une tête de mort. Dans un tiroir, un couteau de chasse et un pistolet automatique, ainsi qu'une boîte remplie de balles. Du 9 mm.

Les choses prennent une tournure délicate et le patron de la brigade criminelle, informé de ces découvertes par ses hommes sur place, prévient immédiatement le SCRI. Une note avait été diffusée après l'agression d'Isabel stipulant que le moindre fait l'impliquant de près ou de loin devait immédiatement remonter au Service du renseignement. Nicolás Ortíz en personne arrive, après avoir demandé de figer la scène de crime. C'est-à-dire de ne plus toucher à rien et, surtout, de dégager les lieux. Seuls la scientifique et un chef d'équipe de la criminelle sont autorisés à rester, ses agents prennent l'affaire en main. Quand il avise les photos de la victime en compagnie des trans et des travs, il se fige, sort de la pièce et passe un coup de fil à Ana.

— On a un problème, lui dit-il, et il l'informe de la mort de l'informaticien.

— Merde ! C'était pas prévu, ça… Tu vas faire quoi ?

— On a récupéré l'enquête, donc ça devrait aller. Ce sera l'occasion d'aller faire un tour chez les Chevaliers du Christ. À mon avis, ce sont eux qui sont derrière ça. Ils n'ont pas supporté de voir les photos que tu leur as envoyées. De là à buter le mec, j'avoue que ça va loin. Je ne m'y attendais pas. Mais ça prouve une chose, c'est qu'ils sont vraiment sur les nerfs et prêts à tout. Isabel Ferrer est réellement en danger, elle est clairement leur prochaine cible. Je vais renforcer la surveillance et la revoir.

— OK, tiens-moi au courant. On se rappelle.

Cette fois, Isabel reçoit une convocation tout ce qu'il y a d'officielle. Fini la visite de courtoisie. Même si son dernier passage au SCRI s'est plutôt mal terminé et qu'elle en est partie en claquant la porte, elle en est ressortie libre. Perturbée par les informations qu'Ortíz lui a données sur les meurtres du notaire et de la bonne sœur, intriguée qu'il lui parle aussi de son escapade à Barcelone et de la mort du médecin. Elle reste persuadée qu'il ne lui a pas tout dit, ce qui l'inquiète quelque peu. Et là, c'est sous bonne escorte, trois agents (aucun de ceux chargés de sa surveillance) qui sont venus la chercher directement dans les locaux de l'ANEV, qu'elle est conduite au siège du SCRI. Ils n'ont rien voulu lui dire, l'un d'eux lui a juste tendu un papier jaune lui demandant de se rendre immédiatement à leur bureau afin d'être entendue dans une affaire, sans plus de précisions. Elle les suit sous le regard médusé des bénévoles qu'elle rassure comme elle peut en leur disant de ne pas s'inquiéter, qu'elle revient dans peu de temps. Voiture banalisée. La fourgonnette grise qui suit derrière. Il faut moins de cinq minutes au convoi pour arriver. Et rebelote. Sous-sol. Salle sans fenêtres. Et attente.

Une jeune femme entre dans la pièce, lui propose un café et un sandwich qu'elle refuse. Au moment de sortir, elle se ravise et se rapproche de l'avocate, lui pose une main sur l'épaule, se penche vers elle et la félicite pour son action, avant de repartir en fermant la porte délicatement. Surprise, Isabel se demande si tout ça n'est pas une mascarade, une stratégie aussi pour la mettre dans de bonnes conditions. Elle n'aura pas longtemps à se le demander, Ortíz entre à son tour. La mine grave, il pose sur la table une pochette d'où il extrait des photos prises dans l'appartement de l'informaticien et les étale devant elle avant même qu'elle ait pu dire quoi que ce soit et demander si elle était en garde à vue.

— Bonjour, Isabel. Désolé pour cette convocation un peu brutale, mais vu la fin de notre dernier entretien, je me suis dit que ce serait plus simple pour vous faire venir rapidement, commence-t-il. La situation a un peu évolué et il faut vraiment que l'on discute très sérieusement…

Il lui annonce la mort de l'informaticien en lui précisant qui il était réellement.

— Le ver était dans le fruit alors… C'est lui qui a volé les données personnelles de tous les membres, j'imagine ? Mais je ne comprends pas bien ce que je fais là, je n'ai rien à voir avec sa mort, j'espère que vous n'imaginez pas que c'est moi qui…

— Non, non, on se doute déjà de qui est derrière et c'est d'ailleurs pour ça que je vous ai fait venir aussi vite. Vous êtes la cible prioritaire des Chevaliers du Christ. Nous avons retrouvé chez lui des preuves indiquant qu'ils projettent de vous assassiner. Ce mouvement s'est radicalisé depuis un moment et tente par tous les moyens de se faire entendre, d'exister face au mastodonte qu'est l'*Opus Dei*. Tuer la porte-parole des familles dont le régime franquiste a enlevé les enfants, c'est un acte qui leur ferait une publicité sans précédent.

Isabel encaisse le coup difficilement. Prendre des risques pour défendre la cause des bébés volés, oui, elle en était consciente et elle l'a accepté sans rechigner. Prendre une balle, ça, non, elle ne l'avait pas envisagé. Merde, c'est plus grave que ce qu'elle avait pu imaginer de pire. Des menaces, elle peut vivre avec. Une agression comme elle l'a subie passe encore. Mais une tentative d'assassinat, par des cathos intégristes en plus… Ce pays a décidément un gros, gros problème, se dit-elle.

— Bien, maintenant que vous êtes au courant, il va falloir se décider, continue Ortíz. Je vous propose de passer un accord qui restera entre nous, ça ne sortira pas d'ici, je vous le promets.

Nicolás Ortíz court un gros risque. Très gros même. Une décision mûrement réfléchie, qui lui a valu plusieurs nuits d'insomnie. Il sait qu'il joue sa tête si sa hiérarchie l'apprend. Il a confiance en ses hommes, mais on ne sait jamais. Au cours de sa longue carrière, il n'a jamais été confronté à un tel cas de conscience. Après avoir pesé le pour et le contre, après avoir tout repris depuis le début, il a fini par faire son choix. Celui du cœur plus que celui de la raison. Celui de l'homme de gauche, plutôt que celui du flic. Il a eu du mal à se décider, mais une fois sa position arrêtée, il s'est regardé dans la glace et il a souri. Cela faisait longtemps qu'il ne souriait pas. Ce qui lui fait penser qu'il a choisi la bonne option. Et qu'il en assumera toutes les conséquences au cas où cela tournerait mal. Sans aucun état d'âme.

Sa proposition laisse Isabel sans voix. En même temps, elle n'a pas vraiment le choix. Elle parvient à apprécier sa délicatesse de lui laisser une semaine de réflexion, comme celle de lui mettre à disposition les deux agents de la fourgonnette grise en protection rapprochée. Il est persuadé que les Chevaliers du Christ vont recruter rapidement un autre homme de main pour mettre leur plan en pratique.

Sa décision est déjà prise à quatre-vingt-dix-neuf pour cent, mais pour faire bonne figure, elle a demandé à réfléchir. Il va falloir s'organiser rapidement, trouver une solution pour elle et pour l'ANEV. Sinon, elle va au-devant d'ennuis qui la conduiront très certainement en prison. Depuis que ses hommes ont fouillé son appartement et trouvé ses documents et ses armes, Ortíz a des preuves de son implication dans les cinq meurtres. Elle ne comprend pas pourquoi il lui fait cette offre alors qu'il possède tous les éléments pour l'arrêter. Ou alors, elle ne comprend que trop bien. Il sait que ce gouvernement empêchera par tous les moyens que les familles puissent avoir des réponses à leurs questions, qu'il ne modifiera pas la loi d'amnistie, que toutes les plaintes seront rejetées et que justice ne leur sera pas rendue. Homme de gauche, ancien militant d'organisations antifranquistes, il se dit, peut-être, que ces gens n'ont eu que ce qu'ils méritaient, qu'il fallait que quelqu'un se charge du sale boulot, qu'il s'agissait de régler ses comptes avec une partie de l'Histoire.

* * *

La semaine a été agitée. De tous les côtés et à tous points de vue. L'arrestation spectaculaire du noyau dur des Chevaliers du Christ a provoqué des réactions politiques en chaîne. L'opposition socialiste en a profité pour ruer dans les brancards d'un gouvernement aux abois, surpris et qui a eu du mal à garder sa sérénité. Même si ce groupuscule, cette espèce de mouvement sectaire, en tout cas rassemblant des fanatiques dangereux, est né d'une rupture avec l'*Opus Dei*, l'Église d'Espagne a unanimement condamné qu'un cardinal, un évêque et plusieurs prêtres soient inculpés de complot, de tentative d'assassinat et de participation à une organisation criminelle, qu'ils soient arrêtés, menottés et livrés à la vindicte populaire. Malgré les divergences, quand ceux qui vous ressemblent, ceux qui ont été quasiment vos frères, sont dans la mouise, on se serre les coudes. Au total, une vingtaine d'arrestations ont eu lieu. En plus des hommes d'Église, quelques nonnes, des chefs d'entreprise, plusieurs personnes travaillant dans des cabinets ministériels (pas des moindres, à la Justice, à la Santé et aux Affaires étrangères) et des assistants parlementaires ont été mis en garde à vue. La moitié a été placée en détention provisoire, l'autre moitié laissée en liberté sous contrôle judiciaire.

Les médias se sont évidemment rués sur ce nouveau rebondissement lié au scandale des bébés volés. Cette fois, une bonne partie d'entre eux a pris fait et cause pour Isabel Ferrer. Et les manifestations des familles et des adhérents de l'ANEV se sont transformées en rassemblements de soutien à l'avocate. Il faut dire que le grand public a appris l'existence des Chevaliers du Christ au journal télévisé, sur les chaînes info, à la radio ou dans la presse. Et qu'il est tombé des nues. Au sein du SCRI aussi on a été surpris. Ortíz, qui a mené l'opération de bout en bout, n'en revient toujours pas. C'est une sorte de cartel religieux qu'il a fait tomber en réalité. Organisé de manière pyramidale, comme les narcos ou les mafieux. Chaque membre devait verser une partie de son salaire au mouvement. Un racket parfaitement organisé, comme le montrent les documents comptables saisis. Reste la partie la plus extravagante, voire hallucinante. Personne ne s'appelait par son nom ou son prénom, mais par un numéro. CC1 pour le grand chef, CC2, CC3, et ainsi de suite en fonction de sa place dans l'organigramme. Pablo Martínez, l'informaticien infiltré, était CC189. L'enquête ne fait que démarrer, mais il apparaît d'ores et déjà que les Chevaliers du Christ comptaient près de 800 personnes dans leurs rangs.

Diego n'a pas perdu une miette de tout ça. Voilà sans aucun doute un prochain thème pour son émission. Avec Ana, ils sont restés scotchés plusieurs heures d'affilée devant la télé. Ortíz avait prévenu la détective qu'il allait se passer quelque chose, mais il avait omis de lui parler de l'ampleur de « l'opération CC », comme il l'a nommée. La mise en place du dispositif policier et de surveillance autour des Chevaliers du Christ lui a pris tellement de temps qu'il n'a pas pu la voir comme prévu. Il n'a pas voulu, non plus, lui donner plus de détails concernant Isabel par téléphone ; elle et Diego ne sont guère plus avancés. La seule chose qu'il a lâchée est que l'avocate avait accepté une offre qu'il lui avait faite mais qu'elle leur en parlerait elle-même, il ne souhaite pas interférer dans leurs relations et, surtout, c'est à elle de leur fournir, ou non, des explications. Malgré l'insistance d'Ana, il est resté muet.

Isabel, elle, a suivi tout cela de loin. Elle doit régler encore quelques détails avant son départ. Elle n'a pu faire autrement que de dire oui à Ortíz. C'était ça ou le procès et la prison pour cinq meurtres. Autant dire qu'elle aurait passé le restant de ses jours derrière les barreaux, qu'elle ne serait jamais sortie vivante de là et que l'ANEV aurait eu du mal à s'en relever. C'est pour elle bien sûr, mais aussi pour toutes les familles qu'elle a voulu défendre qu'elle s'apprête donc à quitter le pays. Ses valises sont bouclées, une agence immobilière va s'occuper de mettre son appartement en location, ce qui lui assurera un revenu en attendant de trouver un boulot, ses dossiers sont provisoirement rangés dans un box protégé dont elle est la seule à connaître l'adresse. Elle n'a plus qu'à faire ses adieux. Avant de passer à l'association dire au revoir et de retrouver Diego, David Ponce et Ana pour dîner, elle a une dernière chose à accomplir. Et c'est en compagnie de la détective qu'elle a décidé d'y aller.

Elles ne se sont pas vues depuis son retour de France et elle appréhende un peu ces retrouvailles. Quand elle l'a appelée, elle a bien senti qu'elle lui en voulait de ne pas avoir donné de nouvelles ces derniers temps. Elle s'est excusée et lui a promis de tout lui expliquer le soir même chez *Casa Pepe*. L'avocate est passée demander au patron s'il pouvait, encore une fois, baisser le rideau. Pour elle. Pour Diego. Pour David. Pour Ana. Il a accepté en bougonnant un peu pour la forme, mais il ne peut rien refuser au journaliste. Tous doivent se retrouver à vingt-deux heures. Ils ne savent pas encore que c'est un repas un peu spécial auquel ils vont assister. Elle a fixé rendez-vous à Ana à vingt heures. En deux heures, elles auront largement le temps de faire ce qu'elle a à faire. Elle a déposé dans un grand carton cinq gros dossiers. Ceux qui portent un numéro. Ceux dans lesquels elle a regroupé les informations sur ces cinq victimes. Elle a fermé le carton, qu'elle a scellé avec du gros scotch et qu'elle a mis dans le coffre de sa voiture.

La détective est pile à l'heure. Elle la sent toujours un peu distante mais tout de même contente de la retrouver. Direction la Casa de Campo, le grand parc qui sert de poumon à Madrid. L'endroit, qui s'étend sur plus de mille hectares, est une ancienne réserve de chasse de la royauté. Aujourd'hui, il est aussi connu pour être un lieu où prolifèrent la prostitution et le trafic de drogue une fois la nuit tombée. En journée, l'ambiance est plutôt familiale, grâce au zoo, au lac et au parc d'attractions qui en font partie. Le soleil n'est pas encore couché quand elles arrivent. Isabel n'a pas voulu dire à Ana ce qu'elles allaient faire et c'est dans un silence pesant qu'elle se gare à l'entrée du parc. Des joggeurs, quelques parents avec des poussettes, les premières prostituées. C'est le moment de la journée où se croisent deux mondes, celui du jour et celui de la nuit. Isabel demande à Ana de l'aider à porter son carton, qui ne pèse pas si lourd que ça, mais c'est une manière comme une autre de commencer à lui parler.

— Mais qu'est-ce qu'on fout là ? C'est quoi le truc ? Il y a quoi là-dedans ?

La détective semble agacée.

— C'est des archives que je veux brûler, des papiers, des vieux dossiers dont je n'ai plus l'utilité.

— Et il fallait venir ici pour le faire ? Tu pouvais pas t'acheter une broyeuse, tout simplement ?

— Aide-moi au lieu de râler.

Elle sort une petite pelle et une bouteille d'alcool à brûler de son sac à dos après avoir posé le carton dans un endroit un peu à l'écart. Isabel se met à creuser, sous le regard médusé d'Ana. Les deux agents du SCRI qui les ont suivies se sont postés un peu à l'écart, se demandant pourquoi elle les a emmenés là. Une fois qu'elle estime que le trou est suffisamment profond, elle y jette le carton et l'asperge avec le produit inflammable. Puis elle allume une cigarette, tire quelques taffes et la jette. Le carton s'embrase, provoquant une grande flamme orangée. Elles restent là à regarder le feu se consumer. Cela prend une vingtaine de minutes au cours desquelles Isabel parle à la détective de sa grand-mère, de ce qui lui est arrivé, de son grand-père aussi, de la raison pour laquelle elle a quitté la France pour venir à Madrid, de son engagement auprès de l'ANEV. Les yeux rougis, elle lâche enfin, alors que des cendres s'envolent autour d'elles :

— Je vais partir.

— Quoi ? Où ça ?

Ana a écouté, s'attendant à tout moment à une révélation qui conforterait ou infirmerait la thèse de Diego, mais non, rien. Elle est stupéfiée par la dernière phrase qu'elle vient d'entendre.

— Ne pose pas de questions, s'il te plaît. Je vais tout te raconter, mais je voudrais que Diego soit là aussi. Je vous dois des explications et je vais vous les donner. J'ai un peu peur de votre réaction et, surtout, je ne sais pas si je dois parler devant David…

— Merde, tu me fous les jetons ! Vas-y, parle, dis-moi !

— Retournons à la voiture. Je veux bien que tu conduises et je verrai si je trouve la force de commencer à te raconter.

Sur le chemin, Isabel a parlé. De la bonne sœur. Et du notaire. Ana n'en croit pas ses oreilles. Diego avait raison. Elle s'arrête sur la bande d'arrêt d'urgence du périphérique pour reprendre ses esprits. Elle a du mal à respirer. Elle se calme un peu, tente de réfléchir. Il y a un truc qu'elle n'arrive pas à gérer, c'est sa réaction. Impossible d'en vouloir à Isabel. Elle a tué, certes, mais elle ne peut pas, elle ne veut pas la juger. Ce qui lui fait presque peur, c'est qu'elle pense qu'elle la comprend, qu'elle aurait pu, elle aussi, le faire. Ne dit-elle pas que si elle croisait son tortionnaire argentin, elle le tuerait de ses propres mains ? Par contre, elle ne sait pas comment Diego prendra la chose. Pour ce qui est de David, c'est sûr, il ne faut rien lui dire. L'ex-juge est trop épris de justice. Il ne ferait rien et ne la dénoncerait pas, bien sûr, mais il couperait net les ponts. Avec elles deux sûrement, en tout cas. Arrivées devant chez Isabel, elles montent pour se laver les mains et se rendre présentables. Elles ont une demi-heure devant elles. Ana a aussi besoin d'un petit remontant.

Quand elles frappent sur le rideau de fer de *Casa Pepe*, Diego et David sont déjà là. Le journaliste et l'ancien juge semblent plutôt de bonne humeur et ont déjà ouvert une bouteille. Ils savourent ce coup porté aux fous furieux des Chevaliers du Christ et sont contents de voir la détective et l'avocate. Ana est toute pâle et Isabel se force à sourire. Elles font bonne figure et ne laissent rien transparaître de leur état d'esprit, plus morose que celui des deux hommes. Ponce s'empresse de claquer une bise à Isabel en la provoquant un peu.

— On peut se tutoyer du coup maintenant qu'on est collègues !

Il leur annonce qu'il risque de devoir partir avant le dîner car il est de permanence ce soir. Diego, lui, tente de masquer comme il peut son plaisir de la revoir.

— Ben dis donc, tu ne voulais plus nous voir ou quoi ? lui dit-il en lui servant un verre de vin rouge. Comment tu te sens avec tout ce qui vient de se passer ?

— Ça va, je tiens le coup. C'est pas tout le temps évident, mais j'ai eu tellement de boulot que je n'ai pas eu une minute à moi. Je suis contente de vous voir car je voulais vous remercier pour tout ce que vous avez fait pour l'association et pour moi.

— On dirait une oraison funèbre, s'exclame David, encore moqueur, quand son téléphone se met à sonner. Oui, c'est moi. Bien, j'arrive, je suis là dans une vingtaine de minutes. Il lâche un long soupir. Bon, je suis obligé d'y aller, j'ai un client qui m'attend. Un petit dealer de quartier.

Isabel lance un regard à Ana, qui comprend immédiatement et lui fait un signe discret de la tête. Elle a réussi à la persuader de ne pas parler à David de ses cinq victimes, juste de lui annoncer qu'elle devait s'en aller pour des raisons de sécurité. L'avocate a pourtant autre chose à lui dire.

— David, avant que vous… que tu y ailles, j'ai quelque chose à vous dire à vous trois. Voilà, je vais partir, quitter l'Espagne. Les menaces sont trop précises, ils veulent ma peau et ils finiront bien par l'avoir. Je n'ai pas envie de me retrouver à vivre comme Saviano[1] ou comme d'autres, sous protection permanente, un flic à mes basques tout le temps. Je ne le supporterais pas. Tout est réglé avec le SCRI. Ils vont m'exfiltrer en quelque sorte, s'assurer que je quitte le pays sur mes deux jambes et en bonne santé.

Silence de cathédrale. Les dernières paroles d'Isabel ont coupé toute envie à David et à Diego de rigoler. Le journaliste ressent une vraie déception. L'ex-juge, lui, ne sait plus quoi faire. On l'attend au commissariat mais il n'a plus très envie de quitter le bar. Pourtant, il le faut. Il s'apprête à partir quand l'avocate l'interpelle.

— Attends !

Elle s'approche, lui tend une clé et un petit bout de papier.

— Tiens, prends ça. C'est là que j'ai mis tous mes dossiers sur les familles de l'ANEV. Garde-les, je te fais confiance. Je suis sûre que tu sauras quoi en faire.

---

1. Auteur et journaliste italien antimafia, qui vit sous protection policière.

— Promis. Prends bien soin de toi. Et donne de tes nouvelles. Bon, je file, mon client va pas être content sinon !

Assis sur un des tabourets près du comptoir, Diego n'a pas prononcé une parole depuis l'annonce d'Isabel. Il attend des explications sur ce qu'il estime être une fuite. Avant de laisser éclater sa colère, il essaie de se calmer. Une chose est sûre, ils ne toucheront pas aux tapas que le patron du bar leur a préparées. Pour ce qui est des bouteilles de vin, elles risquent de morfler par contre. Perdu dans ses pensées, il n'a pas entendu Isabel s'asseoir à côté de lui. Elle pose sa main sur son bras. Il sursaute. Ana, qui s'est affalée sur une banquette, surveille la scène du coin de l'œil.

— Tu pars quand ?

— Demain.

— Où ?

— Loin. Loin de Madrid. Loin de l'Espagne. Loin de la France.

— Oui, mais où ?

— Je n'ai pas le droit de te le dire maintenant…

Vexé par ce qu'il considère comme un manque de confiance, Diego dégage son bras, se lève et va se servir un autre verre de vin. Avant de revenir à la charge.

— Tu penses revenir un jour quand même ?

— Ça, je n'en sais rien. J'espère que oui. C'est un exil forcé, mais pas définitif. C'est, du moins, ce que j'ai envie de croire.

— C'est un dîner d'adieu en fait que tu as organisé ce soir…

— En quelque sorte, oui. C'est aussi un moment que je redoute car j'ai des choses à te dire. Une histoire que j'ai commencé à raconter à Ana tout à l'heure, mais je voudrais reprendre depuis le début. Avant, promets-moi juste de m'écouter jusqu'au bout sans me poser de questions, sans m'interrompre.

Pas de réponse. Diego se passe la main sur le visage. Il se sent piégé, presque trahi par quelqu'un en qui il avait confiance, quelqu'un qu'il estimait, dont il admirait la détermination et le courage. La première femme, aussi, avec laquelle il avait ressenti quelque chose d'autre que de la sympathie depuis la mort de sa chère Carolina.

— Promets-le-moi, répète Isabel.

— OK, si tu veux. Vas-y, on t'écoute.

Ils rejoignent Ana qui se tient maintenant droite comme un I et qui pousse sur le côté les assiettes de chorizo et de jambon. Elle remplit les verres de tout le monde. Isabel boit une gorgée. Et plonge. Elle passe aux aveux, en parlant lentement, cherchant parfois ses mots, s'arrêtant pour se désaltérer, avaler un peu de ce liquide rouge qu'elle apprécie tant.

Elle dit tout, dans le moindre détail. Pendant une heure. Diego ronge son frein, souffle tel un taureau prêt à partir au combat, juste derrière les portes du couloir qui le mèneront dans l'arène.

Elle revit en même temps qu'elle les raconte chacun de ses meurtres. L'élu de l'AMP le soir des élections. Le premier. L'angoisse d'être surprise. La peur de mal viser, de rater son coup. Le notaire. Elle lui a parlé, il lui a répondu et, dans la seconde qui a suivi, elle lui a ôté la vie, sans aucun regret. Le médecin. Plus rapide et sans un mot échangé. Le banquier. Plus compliqué. Une longue attente. Un acte presque surréaliste tant il était loin d'elle quand elle a tiré. La bonne sœur enfin. Peut-être son crime le plus fou. Une femme. Dans un lieu de culte. Au milieu d'une fête. Plus elle parle, plus Ana et Diego ont du mal à contenir leur surprise, à rester assis, à ne pas l'arrêter pour lui poser mille questions. Mais à chaque fois, elle les devance, lisant presque dans leurs pensées. Le journaliste est en ébullition. Il fume cigarette sur cigarette, serre les poings, serre les dents jusqu'à s'en faire saigner les gencives. Vient enfin le temps du pourquoi.

— Quand mon grand-père est mort, ma grand-mère était inconsolable. Elle pleurait beaucoup, ça a duré des semaines. J'allais la voir tous les jours, dès que j'avais un moment de libre. Un soir, nous étions là, toutes les deux, assises dans son salon à regarder de vieilles photos. Je ne sais pas comment cette question m'est venue à l'esprit, mais je lui ai demandé si elle ne regrettait pas de ne pas être retournée en Espagne depuis toutes ces années. Je lui ai dit que le pays avait changé, que la dictature était loin, qu'aujourd'hui tout ça était fini et derrière nous. Elle m'a répondu « Jamais ! » et elle s'est lancée. Elle m'a embarquée avec elle dans leur quotidien de militants antifranquistes, la faim, la soif, la répression, les amis emprisonnés, tués. Malgré tout, ils s'aimaient et ils ont décidé de faire un enfant. Le récit de son accouchement et du vol de leur bébé m'a bouleversée. De fil en aiguille, nous en sommes venues à évoquer le pardon, puis la vengeance. Nous avons parlé toute la nuit. Et, au petit matin, je suis sortie acheter des croissants pour notre petit déjeuner. Quand je suis revenue, elle n'avait pas bougé de son canapé, mais elle paraissait changée, presque apaisée. J'ai préparé du café, nous avons dégusté nos viennoiseries et c'est là qu'elle m'a exposé son idée, son plan. Elle était si sûre d'elle, si persuadée que justice ne lui serait jamais rendue, ni à elle ni aux autres. Car elle savait qu'elle n'était pas la seule dans ce cas. D'autres femmes avaient connu la même douleur de se voir arracher leur bébé par des gens sans aucun scrupule. Elle m'a demandé de l'aider à mettre en pratique sa vengeance. Mais elle ne voulait pas d'une simple vengeance, elle voulait qu'en tant qu'avocate, je me mette au service de cette cause, que j'aide d'autres victimes comme elle. J'ai commencé à enquêter discrètement, j'ai récolté pas mal d'informations qui confirmaient ses dires. J'avais le sentiment qu'un véritable système, dont je méconnaissais l'ampleur, avait été monté pour voler des enfants aux opposants et les vendre à des familles qui, si elles n'étaient pas ouvertement franquistes, partageaient tout de même un certain nombre de leurs idées. En partant du nom de la bonne sœur, j'ai remonté la piste et j'ai retrouvé tous les acteurs de ce trafic. Le médecin, la religieuse, le banquier, le politique, le notaire. Chacun d'entre eux était un maillon de la chaîne. Il fallait les éliminer les uns après les autres. Pour solder nos comptes avec l'Histoire. Voilà, vous savez tout.

Les larmes d'Ana coulent depuis un moment déjà. C'est pire que ce qu'elle avait imaginé. Ils avaient fait le lien entre deux assassinats, il y en a cinq au total. Malgré tout, elle n'arrive pas à lui en vouloir. Son récit est bouleversant. Bien sûr, elle sait qu'on ne doit pas se faire justice soi-même, qu'Isabel a franchi une limite, qu'elle est devenue une meurtrière. Pourtant, elle s'en fout. Elle la comprend. Diego ne dit rien. Isabel attend. Elle a peur de sa réaction. Elle a raison. Il lui lance un regard noir, attrape son verre vide et le jette contre le mur. Il se lève, agrippe la chaise sur laquelle il était assis et la fracasse sur le sol. Puis il sort sans un mot. Une fois dehors, il se met à marcher sans but précis dans les rues de Madrid. Il marche. Il marche toute la nuit. Et il pleure. Franco est mort, pas le mal qu'il a enfanté.

Épilogue

Neuf mois qu'Isabel est partie. Neuf mois que Diego n'a pas eu de contact avec elle. Après son départ en trombe du bar, après avoir tant bien que mal digéré ce qu'elle leur a raconté, il lui a fallu encore plusieurs semaines pour s'en remettre. Il a toujours ce sentiment de s'être fait manipuler par l'avocate. Et, surtout, il n'arrive pas à la comprendre, à lui trouver une excuse valable pour justifier ses actes. Elle a tué cinq personnes de sang-froid. Elle a tiré sur des gens. Des gestes prémédités, préparés, réfléchis. Ses victimes, même si elles avaient des choses à se reprocher, même si elles avaient fait subir l'une des pires douleurs qu'une mère qui vient d'accoucher peut connaître ou supporter, ne méritaient pas la mort. D'autant que deux d'entre elles ont payé pour ce qu'elles n'avaient pas fait, elles ont été des cibles par défaut. Le jeune élu de l'AMP et le banquier ont été assassinés parce que « fils de ». Les balles qui se sont logées dans leur tête étaient en réalité destinées à leurs pères. Comme ils étaient déjà morts, ils ont pris pour eux. Ils ont payé de leur vie les erreurs de leurs géniteurs. Malgré ce qui est arrivé à sa grand-mère, il ne supporte pas l'idée qu'Isabel se soit transformée en vengeresse, qu'elle se soit abaissée à commettre cinq fois l'irréparable.

Son départ n'a pas signifié la fin du scandale. Au contraire. Il n'a fait qu'amplifier son retentissement. Et Diego a continué à le couvrir de manière assidue. Une fois par mois, il consacre un numéro d'« Ondes confidentielles » aux bébés volés. Le pays a connu une vague de contestations sans précédent, mais le gouvernement est resté droit dans ses bottes. Il en a même profité pour renforcer la législation sur les manifestations et les rassemblements publics, un comble. L'enquête a évidemment été classée sans suite, mais l'ANEV, par le biais de son nouvel avocat David Ponce, a saisi la Cour européenne des droits de l'homme, qui a obligé la justice à rouvrir un dossier. Une victoire pour l'ancien juge qui n'a pas pu faire autrement que de prendre la suite d'Isabel Ferrer. Quand il a ouvert le box avec la clé qu'elle lui avait remise avant de partir, il en a eu la nausée. Elle y avait entreposé toutes ses archives. Des dizaines et des dizaines de dossiers. Il a tout lu. Un mois enfermé chez lui sans sortir quasiment, à part des allers-retours pour récupérer des documents. Puis il s'est présenté un matin au siège de l'ANEV.

— Bonjour, je suis votre nouvel avocat.

Depuis, il ne ménage pas sa peine pour que les familles puissent avoir des réponses à leurs questions. Un minimum. Pour ce qui est des responsabilités, la tâche s'avère plus compliquée. Mais faire toute la lumière sur ce trafic d'enfants, initié sous la dictature et qui a perduré, ne sera pas aisé. C'est même quasiment improbable qu'un procès se tienne. Il faut donc se battre au quotidien, parler, raconter encore et encore ces histoires atroces.

La tribune que lui offre sa chronique radio aux côtés de Diego est un moyen efficace pour que ce pan de l'Histoire récente du pays ne soit pas oublié. Et puis, Diego s'y est aussi attelé. Il vient de publier un livre, intitulé *¿Dónde están ?* [Où sont-ils ?], qui a immédiatement été numéro un des ventes. Il y révèle le lien qui existe entre les bébés volés et les cinq meurtres, sans pour autant dénoncer Isabel. Il affirme qu'il est fort probable qu'une seule et même personne soit à l'origine de ces cinq assassinats mais qu'il ne sait pas qui tenait l'arme ni qui en était le commanditaire. Un mensonge par omission, fruit de longues discussions avec Ana. La détective a réussi à le convaincre d'écrire un bouquin sur le sujet. Elle l'a poussé, soutenu tout au long de l'écriture. Elle est aussi parvenue à lui faire revoir sa position initiale. Le journaliste était prêt à citer le nom de l'avocate, puis il s'est ravisé. Un argument a été l'élément déclencheur, celui de la vengeance. « Quand Carolina a été assassinée, tu m'as tout de suite affirmé que tu voulais retrouver et tuer ses bourreaux, leur faire subir le même sort », lui a-t-elle rappelé. Il ne s'explique toujours pas pourquoi elle a fait tout ça, mais il a choisi de ne pas en rajouter, de ne pas lui faire plus de mal qu'elle n'en a fait. Et puis, elle en paie le prix fort aujourd'hui. Un exil forcé, sans date de retour pour le moment.

C'est Ana qui a accompagné Isabel à l'aéroport le lendemain de leur fracassant dîner d'adieu. Avant de passer les contrôles de sécurité et d'entrer dans la salle d'embarquement, l'avocate lui a donné une lettre destinée à Diego. Il ne l'a pas ouverte. Elle est posée sur son bureau, il la regarde tous les jours, sans savoir quand il aura la force de la lire. Comme un pied de nez à l'Histoire, elle s'est envolée pour l'Argentine. Un pays qui a connu la dictature, qui a connu les disparitions forcées et les vols de bébés. À Buenos Aires, elle a trouvé la plus européenne des villes latino-américaines. Elle s'y est tout de suite sentie bien. Son arrivée a été discrète. Les deux agents du SCRI ont fait les quatorze heures de vol non loin d'elle, ils l'ont suivie partout pendant plusieurs jours, jusqu'à son installation dans un appartement du quartier de Palermo, jusqu'à s'être assurés qu'elle se trouvait bien en sécurité. Durant les premières semaines, Isabel a beaucoup marché, elle s'est imprégnée de sa ville d'adoption, de ses rues, de ses odeurs, de son mode de vie, de sa musique aussi. Elle a visité les musées, passé du temps dans les bars, dans des *milongas* pour apprendre à danser le tango. Elle a beaucoup lu, beaucoup réfléchi également. Sur ce qu'elle avait fait, sur les conséquences de ses actes, sur ce qu'elle comptait faire. Elle attendait une réponse de Diego qui n'est pas venue. Un geste de sa part. Un message. Un coup de fil. Et elle a abandonné l'idée qu'il allait la contacter, qu'ils allaient pouvoir parler, qu'elle allait pouvoir tenter de lui expliquer ses motivations, ses raisons. Et il a fallu chercher un travail. Elle n'a pas eu de mal à en trouver un. Un coup de fil et un rendez-vous ont suffi. Depuis trois mois, elle est embauchée comme juriste au sein de l'Association des grand-mères et mères de la place de Mai. Elles aussi cherchent leurs enfants ou leurs petits-enfants volés sous une dictature.

REMERCIEMENTS

Quand on écrit, on est seul. Seul face à une page vierge d'un cahier que l'on espère remplir de mots qui feront sens. Seul face à un écran d'ordinateur, devant un fichier qui attend que nos doigts s'agitent sur le clavier. Seul face à soi-même aussi. Mais en réalité, quand on écrit, on n'est pas vraiment seul. Au moment de dire merci, les souvenirs remontent à la surface, ceux qui m'ont consciemment ou inconsciemment accompagné tout au long de l'écriture. Les premiers qui arrivent sont ces moments passés avec mes grands-parents en Espagne. Sans eux, qui m'ont raconté ce qu'ils ont vécu sous Franco et leur départ forcé pour la France, je n'aurais sans doute jamais eu l'idée de me lancer dans cette histoire. Mes parents m'ont fait prendre conscience, ainsi qu'à ma sœur, de la chance que nous avions de vivre et de baigner dans une double culture. Je suis français. Je suis espagnol. Je ne veux pas choisir. Pour ça et pour tout le reste, *gracias*. J'espère être à la hauteur et passer à mon tour le flambeau à mes enfants, Léa et Diego.

Ce texte a germé dans mon esprit il y a plusieurs années déjà. Puis il a fallu s'y mettre, y aller, commencer. Écrire, lire, relire. Et faire lire. Impossible de ne pas citer ici deux éditrices hors pair, deux *superwomen* : Tiffany Gassouk et Anik Lapointe. À Paris et à Barcelone, elles m'ont poussé, encouragé, conseillé. Un immense merci à toutes les deux. Je voudrais associer Véronique Cardi, directrice du Livre de Poche, qui a eu le courage et la bonne idée de lancer « Préludes » et d'y faire une place à ce roman.

Bien d'autres amis devraient figurer en bonne place dans ces quelques lignes, mais j'ai peur de commettre un impair et d'en oublier… Je ne peux pourtant pas m'arrêter là sans un clin d'œil à Manu Chao, pour le titre du roman évidemment, pour son amitié aussi. J'espère que, comme tu me l'as demandé, j'ai fait bon usage de *Mala vida*…

Enfin, deux personnes méritent peut-être plus que toutes les autres leur présence dans ces pages et toute ma gratitude. Paolo Bevilacqua, ami et compagnon de route, qui était là au cours de l'élaboration de ce récit. Son enthousiasme, ses encouragements, son humour, tous les jours dans les bureaux de la revue *Alibi*, ont été si précieux. Merci de m'avoir supporté. Et Sophie, ma Sophie. Les mots me manquent pour tout dire. Première lectrice évidemment, soutien inconditionnel, source d'inspiration, de motivation. Sans toi, je n'y serais pas arrivé. Sans toi, rien ne serait possible.

LES RECOINS LES PLUS SOMBRES DE L'ESPAGNE

SOUDAIN TROP TARD

CARLOS ZANÓN

N° 33327

CARLOS ZANÓN
SOUDAIN
TROP TARD

policier Le Livre de Poche

Barcelone. Un bar de quartier populaire, à l'aube. Epi, petite frappe notoire, fracasse le crâne de son ami Tanveer, puis s'enfuit retrouver Tiffany, la femme pour laquelle il a commis l'irréparable. Son frère, Álex, tente de le retrouver et de l'aider. Mais de quel secours peut être un ancien toxicomane schizophrène ? Soudain trop tard *est le récit de la journée et de la nuit qui ont précédé le meurtre, et où tout a basculé. Sur fond de misère sociale, dans une ville touchée par la crise, émerge toute une galerie de petites gens marginalisées, personnages tragicomiques et terriblement touchants, occupés à survivre, entre optimisme et désespoir. Un roman noir ironique et réaliste par le nouveau grand nom du polar catalan, Carlos Zanón.*

LE MEILLEUR DU SUSPENSE IBÉRIQUE

LE TABLEAU
DU MAÎTRE FLAMAND
ARTURO PÉREZ-REVERTE
N° 7625

Sur la toile, peinte il y a cinq siècles, un seigneur et un chevalier jouent aux échecs, observés depuis le fond par une femme en noir. Détail curieux : le peintre a exécuté ce tableau deux ans après la mort mystérieuse d'un des joueurs et a tracé l'inscription « Qui a pris le cavalier ? », également traduisible par « Qui a tué le cavalier ? ». Tout cela n'éveillerait que des passions de collectionneur si des morts violentes ne semblaient continuer la partie en suspens sur la toile. Et c'est ainsi que l'histoire, la peinture et la logique mathématique viennent multiplier les dimensions d'une intrigue elle-même aussi vertigineuse que le jeu d'échecs… Un thriller atypique, riche et complexe, qui réjouira les amateurs du genre et séduira les autres.

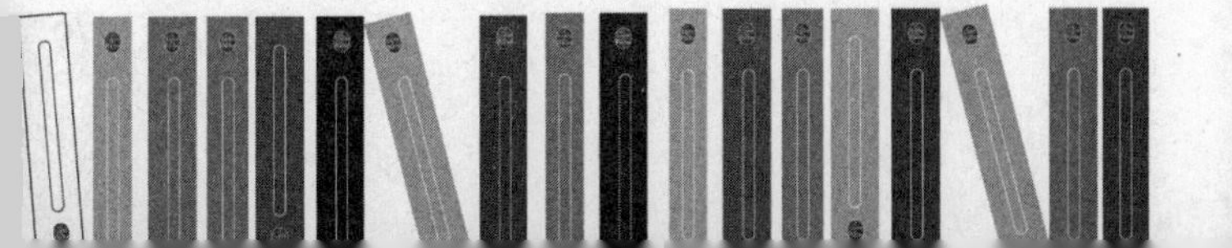

Le Livre de Poche s'engage pour l'environnement en réduisant l'empreinte carbone de ses livres. Celle de cet exemplaire est de :
250 g éq. CO_2
Rendez-vous sur www.livredepoche-durable.fr

Composition réalisée par Belle Page

Imprimé en France par CPI
en janvier 2017
N° d'impression : 3021092
Dépôt légal 1re publication : mars 2017
LIBRAIRIE GÉNÉRALE FRANÇAISE
21, rue du Montparnasse - 75298 Paris Cedex 06

37/3817/9